suhrkamp taschenbuch 127

Hans Fallada, eigentlich Rudolf Ditzen, 1893 bis 1947, arbeitete von 1913 bis 1926 erst als Lehrling, dann als Gutsangestellter auf verschiedenen Gütern, veröffentlichte 1920 seinen ersten Roman, war 1929 Lokalreporter in Neumünster und 1930 bis 1932 Angestellter des Rowohlt Verlages in Berlin. Sein erster großer Erfolg war der Roman *Bauern, Bonzen und Bomben*, 1931, in dem er nach eigener Anschauung die Unruhen des norddeutschen »Landwehrkampfes« beschreibt. Sein nächster Roman *Kleiner Mann – was nun?*, 1932, wurde zu einem der größten Bucherfolge seiner Zeit. In der Geschichte des kleinen Angestellten Pinneberg und der Arbeitertochter Lämmchen in den Jahren der großen Arbeitslosigkeit erkannten Hunderttausende ihre eigene Geschichte, ihren Alltag, ihre Welt.
»Das Besondere an allen Büchern von Fallada ist ihre zwingende Realität. Fallada kennt genau, was er beschreibt, und er hat keine Zeile über einen Gegenstand geschrieben, den er nicht genau kennt.«   *Peter Suhrkamp* 1934

Tankred Dorst, geboren 1925 in Sonneberg/Thüringen, lebt heute in München. Theaterstücke u. a.: *Die Kurve; Große Schmährede an der Stadtmauer; Die Mohrin; Toller; Eiszeit.* Übersetzung: Sean O'Casey, *Der Preispokal* (als Revue mit Peter Zadek unter dem Titel *Der Pott*). Szenarium: *Sand.* Die Dramatisierung des Romans *Kleiner Mann – was nun?* von Hans Fallada wurde für die Neueröffnung der Städtischen Bühnen Bochum unter der Leitung von Peter Zadek vorgenommen.

Hans Fallada
Tankred Dorst
Kleiner Mann –
was nun?

Eine Revue von
Tankred Dorst und Peter Zadek

Suhrkamp

Uraufführung im Schauspielhaus Bochum
22. September 1972
Fallada/Dorst
»Kleiner Mann was nun?«
Revue von Tankred Dorst und Peter Zadek

Musik: Erwin Bootz und Peer Raben
mit zusätzlichen Nummern aus den 20er und 30er Jahren
Liedertexte von Erwin Bootz, Werner Hassenstein,
Felix Joachimson, Gerd Karlich, Fritz Rotter,
Margot Saldern und Karl Wesseler
Choreographie: Tutte Lemkow und Fay Werner
Assistierender Regisseur: Joachim Preen
Regieassistenten: Heidi Zerning und Christoph Hofer
Assistent des Bühnenbildners: Jan Moewes
Technische Leitung: Josef Graf
Realisierung der Kostüme: Therese van Treeck
Plastiken: Götz Loepelmann
Bild: Georg Wakhévitch
Kostüme: Georg Wakhévitch und Jeanne Renncci
Regie: Peter Zadek

suhrkamp taschenbuch 127
Erste Auflage 1972
© Suhrkamp Verlag Frankfurt am Main 1972
Suhrkamp Taschenbuch Verlag
Druck: Ebner, Ulm · Printed in Germany
Umschlag nach Entwürfen
von Willy Fleckhaus und Rolf Staudt

In meiner Erinnerung war es eine ziemlich sentimentale Geschichte. Viel konnte ich damals damit nicht anfangen; die Not der Jahre vor Dreiunddreißig ist sicher nicht unsere Not. Uns gehts ja ziemlich gut. Aber als ich den Roman nun wieder las, fand ich, daß es vor allem eine *wahre* Geschichte ist: so sind Menschen, so reden sie, so reagieren sie. Und sicher ist es eine authentische Geschichte über den Anfang der dreißiger Jahre in Deutschland, und sie macht darum auch verständlich, was danach kam, bis heute. Sie handelt nicht von Ideologien, sondern von Personen, von den leidenden kleinen Tätern dieser Zeit und unserer Zeit. Und es ist auch eine sentimentale Geschichte, gewiß. Die Sentimentalität, fand ich beim Wiederlesen, liegt vor allem darin, daß die beiden, Lämmchen und Pinneberg, die Lösung ihrer Probleme in der kleinsten Zelle, beieinander suchen. Sie fliehen in die Familiengemeinsamkeit und damit in die Isolierung. »Solange wir uns haben, kann uns nichts passieren.« Es passiert ihnen aber doch etwas. Der Trost, den sie aneinander finden und der sie so sympathisch macht für den Leser oder für den Zuschauer, ist schließlich eine gefährliche Täuschung. Sie lassen sich lieber zerstören als ändern. Lämmchen, das kluge, tapfere Lämmchen, das sehr wohl weiß, daß die Gesetze nichts taugen, die den Holzdieb ins Gefängnis sperren und das allgemeine Elend zulassen, ja fördern, es will ihrem Pinneberg schließlich doch seine kleine bürgerliche Moral lassen, damit er nicht erschrickt. Holzstehlen soll er nicht. Das ist es, worauf es in der bürgerlichen Welt ankommt.

Tankred Dorst

Personen

EMMA MÖRSCHEL, *genannt* LÄMMCHEN	Hannelore Hoger
JOHANNES PINNEBERG	Heinrich Giskes
FRAU MÖRSCHEL	Tana Schanzara
HERR MÖRSCHEL	Gustav Rothe
KARL MÖRSCHEL	Wolfgang Schenck
FRAU SCHARRENHÖFER	Renate Grosser
LAUTERBACH	Wolfgang Schenck
SCHULZ	Hermann Lause
EMIL KLEINHOLZ	Eberhard Steib
EMILIE KLEINHOLZ	Tana Schanzara
MARIE KLEINHOLZ	Rosel Zech
KUBE	Franz Gesien
MIA PINNEBERG	Brigitte Mira
JACHMANN	Klaus Höhne
5 TIPSEN	Barbara Bertram
	Cordula Gerburg
	Marie-Luise Marjan
	Elisabeth Stepanek
	Jutta Wachsmann
ÄLTERE SEKRETÄRIN	Renate Grosser
BOTE	Heidi Zerning
LEHMANN	Werner Dahms
JÄNECKE	Werner Eichhorn
HEILBUTT	Karl-Heinz Vosgerau
KESSLER	Hermann Lause
SPANNFUSS	Peter Kollek
FRANZ	Eberhard Steib
GROSSMUTTER	Liesel Alex
ILSE	Jutta Wachsmann
ELSE	Tana Schanzara
FRÄNZCHEN	Elisabeth Stepanek
LEHRLING	Cordula Gerburg
SEIFENFRAU	Tana Schanzara
EMIL	Ludwig Tiefenbrunner

PUTTBREESE	Hans Mahnke
FRAUEN IM PARK	Liesel Alex
	Tana Schanzara
	Renate Grosser
	Marie-Luise Marjan
KIND FRIEDA	Cordula Gerburg
PORTIER	Franz Gesien
KRANKENSCHWESTER	Tana Schanzara
KRYMNA	Gustav Rothe
REICHE FRAU	Jutta Wachsmann
FRAU NOTHNAGEL	Rosel Zech
FRÄULEIN COUTUREAU	Barbara Bertram
SCHUPO	Wolfgang Schenck
TEUFEL	Karl-Heinz Vosgerau
DES TEUFELS GROSSMUTTER	Karl Friedrich
CLAIRE WALDOFF	Rosel Zech
HANS ALBERS	
GIRLS	Barbara Bertram
	Cordula Gerburg
	Marie-Luise Marjan
	Elisabeth Stepanek

Claire Waldoff und Lamberts-Paulsen auf dem »Zilleball« im Großen Schauspielhaus in Berlin. 1925

1. Wohnküche bei Mörschels

FRAU MÖRSCHEL Wenn Sie mir mein Mädchen in Schande bringen!

PINNEBERG Ich will Emma ja heiraten, Frau Mörschel!

FRAU MÖRSCHEL Sie denken wohl, ich weiß nicht, was ist. Seit zwei Wochen stehe ich hier und warte. Ich denke, sie sagt mir was, ich denke, sie bringt mir den Kerl bald an, ich sitze hier und warte. Das ist ein gutes Mädchen. Sie Mann Sie, meine Emma, das ist kein Dreck für Sie. Die ist immer fröhlich gewesen. Die hat mir nie ein böses Wort gegeben – wollen Sie sie in Schande bringen?

PINNEBERG Nein, nein.

FRAU MÖRSCHEL Doch! Doch! Zwei Wochen stehe ich hier und warte, daß sie ihre Binden zum Waschen gibt – nichts! Wie haben Sie das gemacht, Sie?

PINNEBERG Wir sind junge Leute.

FRAU MÖRSCHEL Ach Sie, daß Sie mein Mädchen dazu gekriegt haben. Schweine seid ihr Männer, alles Schweine, pfui!

PINNEBERG Wir heiraten, sobald es mit den Papieren geht.

FRAU MÖRSCHEL Was sind Sie denn? Können Sie denn überhaupt heiraten?

PINNEBERG Ich bin Buchhalter. In einem Getreidegeschäft.

FRAU MÖRSCHEL Also Angestellter?

PINNEBERG Ja.

FRAU MÖRSCHEL Arbeiter wäre mir lieber. – Was verdienen Sie denn?

PINNEBERG Hundertachtzig Mark.

FRAU MÖRSCHEL Mit Abzügen?

PINNEBERG Nein, die gehen noch ab.

FRAU MÖRSCHEL Das ist gut, das ist nicht so viel. Mein Mädchen soll einfach bleiben. Denken Sie nicht, daß sie was mitbekommt. Wir sind Proletarier. Bei uns gibt es das nicht. Nur das bißchen Wäsche, was sie sich selbst gekauft hat.

PINNEBERG Das ist alles nicht nötig.

FRAU MÖRSCHEL Sie haben doch auch nichts. Sie sehen doch
auch nicht nach Sparen aus. Wenn einer mit solchem Anzug rumläuft, bleibt nichts übrig.

2. Revue: Kleiner Mann was nun?

Sängerin und Girls
  Lied:
  Kleiner Mann was nun,
  Kleiner Mann was tun,
  Wenn einmal die Sonne nicht scheinen will,
  Wenn du traurig bist,
  Weil dich das Glück vergißt,
  Und dein Herz betrübt ist und weinen will.
  Dann denke immer daran,
  Wie's morgen anders sein kann,
  Wenn sich die Wolken verziehn
  Und neue Hoffnungsblumen blühn.
  Drum Kopf hoch
  Kleiner Mann faß Mut,
  Alles wird noch gut
  Und du wirst mit neuer Kraft durchs Leben ziehn.

3. Wohnküche bei Mörschels

LÄMMCHEN Junge, ich muß dich was fragen.
PINNEBERG Ja?
LÄMMCHEN Aber sei nicht böse!
PINNEBERG Nein.
LÄMMCHEN Hast du was gespart?
PINNEBERG Ein bißchen. Und du?
LÄMMCHEN Auch ein bißchen. Aber nur ein ganz, ganz klein
bißchen.
PINNEBERG Sag du.
LÄMMCHEN Nein, sag du zuerst.
PINNEBERG Ich . . .

12

LÄMMCHEN Sag schon!

PINNEBERG Es ist wirklich nur ganz wenig, vielleicht noch weniger als du.

LÄMMCHEN Sicher nicht.

PINNEBERG Doch. Sicher.

Pause. Lange Pause.

PINNEBERG Frag mich ...

LÄMMCHEN Ist es mehr als ... I wo, soll ich mich genieren! Hundertdreißig Mark hab ich auf der Kasse ...

PINNEBERG *stolz und langsam* Vierhundertsiebzig.

LÄMMCHEN Au fein! Das wird grade glatt. Sechshundert Mark. Junge, was ein Haufen Geld!

PINNEBERG Na ... Viel finde ich es ja nicht ... Aber man lebt schrecklich teuer als Junggeselle.

LÄMMCHEN Und ich habe von meinen hundertzwanzig Mark Gehalt siebzig Mark für Kost und Wohnung abgeben müssen.

PINNEBERG Dauert lange, bis man so viel zusammengespart hat ...

LÄMMCHEN Schrecklich lange. Es wird und wird nicht mehr.

Lämmchen und Pinneberg singen:
> Du und ich, wir beide,
> wir sind armer Leute Kind,
> Du sowohl wie ich,
> Du sowohl wie ich,
> Und ich glaube,
> Daß wir zwei von Herzen gut uns sind,
> Du sowohl wie ich, sowohl wie ich.
> Wenn auch alle Menschen grollen,
> Niemals geb ich auf
> Dich sowohl wie mich,
> Mich sowohl wie dich.
> Laß sie sagen, was sie wollen,
> Wir zwei pfeifen drauf,
> Du sowohl wie ich, sowohl wie ich.

PINNEBERG Ich glaube nicht, daß wir in Bucherow gleich eine Wohnung kriegen.

LÄMMCHEN Dann müssen wir ein möbliertes Zimmer nehmen.

PINNEBERG Da können wir auch für unsere Möbel sparen.

LÄMMCHEN Aber ich glaube, möbliert ist schrecklich teuer.

PINNEBERG Also laß uns mal rechnen...

LÄMMCHEN Also schön. Nun erst mal die Abzüge.

PINNEBERG Ja, an denen kann man nichts ändern. Steuern sechs Mark und Arbeitslosenversicherung zwei Mark siebzig. Und Angestelltenversicherung vier Mark. Und Krankenkasse fünf Mark vierzig. Und die Gewerkschaft vier Mark fünfzig...

LÄMMCHEN Na, deine Gewerkschaft, das ist doch überflüssig...

PINNEBERG Das laß man erst.

LÄMMCHEN Schön – macht zweiundzwanzig Mark sechzig Abzüge... Fahrgeld brauchst du nicht...

PINNEBERG Gott sei Dank, nein.

LÄMMCHEN Bleiben erst mal hundertsiebenundfünfzig Mark... Was macht die Miete?

PINNEBERG Ja, ich weiß doch nicht. Zimmer und Küche möbliert. Sicher doch vierzig Mark.

LÄMMCHEN Sagen wir fünfundvierzig. Bleiben hundertzwölf Mark vierzig. Was denkst du, brauchen wir fürs Essen?

PINNEBERG Ja, sag du mal.

LÄMMCHEN Mutter sagt immer, eine Mark fünfzig braucht sie für jeden am Tag.

PINNEBERG Das sind neunzig Mark im Monat.

LÄMMCHEN Dann bleiben noch zweiundzwanzig Mark vierzig. Und dann haben wir noch nichts für Feuerung. Und nichts für Gas. Und nichts für Licht. Und nichts für Porto. Und nichts für Kleidung. Und nichts für Wäsche. Und nichts für Schuhe. Und Geschirr muß man sich auch manchmal kaufen.

PINNEBERG Und man möchte doch auch mal ins Kino. Und 'ne Zigarette rauch ich auch ganz gerne.

LÄMMCHEN Und sparen wollen wir doch auch was.

PINNEBERG Mindestens 20 Mark im Monat.

LÄMMCHEN 30 Mark.

PINNEBERG Aber wie?

LÄMMCHEN O Gott, Junge, den Murkel haben wir doch ganz
vergessen!

PINNEBERG Was kostet denn solch kleines Kind?

LÄMMCHEN Rechnen wir nochmal.

PINNEBERG Also, rechnen wir nochmal.

Black out.

4. Wohnküche bei Mörschels

HERR MÖRSCHEL Sie sind also der Jüngling, der meine Tochter heiraten will? Sehr erfreut, setzen Sie sich hin. Übrigens werden Sie es sich noch überlegen.

PINNEBERG Was?

FRAU MÖRSCHEL Wo der Bengel nun wieder bleibt. Die ganzen Puffer werden zäh.

HERR MÖRSCHEL Überstunden. Sie machen auch manchmal
Überstunden, nicht wahr?

PINNEBERG Ja, ziemlich oft.

HERR MÖRSCHEL Aber ohne Bezahlung –?

PINNEBERG Leider. Der Chef sagt...

HERR MÖRSCHEL Sehen Sie, darum wäre mir ein Arbeiter für
meine Tochter lieber: wenn mein Karl Überstunden
macht, kriegt er sie bezahlt.

PINNEBERG Herr Kleinholz sagt...

HERR MÖRSCHEL Was die Arbeitgeber sagen, junger Mann,
das wissen wir lange. Das interessiert uns nicht. Was sie
tun, das interessiert uns. Es gibt doch 'nen Tarifvertrag bei
euch, was?

PINNEBERG Ich glaube.

HERR MÖRSCHEL Glaube ist Religionssache, damit hat 'n Arbeiter nichts zu tun. Bestimmt gibt es ihn. Und da steht
drin, daß Überstunden bezahlt werden müssen. Warum
krieg ich 'nen Schwiegersohn, dem sie nicht bezahlt werden?

Pinneberg zuckt die Achseln.

HERR MÖRSCHEL Weil ihr nicht organisiert seid, ihr Angestellten, weil kein Zusammenhang ist bei euch, keine Solidarität. Darum machen sie mit euch, was sie wollen.

PINNEBERG Ich bin organisiert. Ich bin in 'ner Gewerkschaft.

HERR MÖRSCHEL Emma! Mutter! Unser junger Mann ist in
'ner Gewerkschaft? Wer hätte das gedacht! So schnieke
und Gewerkschaft! Und wie nennt sich Ihre Gewerkschaft, mein Junge? Nur raus damit!

PINNEBERG Deutsche Angestellten-Gewerkschaft.

HERR MÖRSCHEL Die Dag! Mutter, Emma, haltet mich fest,
unser Jüngling ist ein Dackel, das nennt er 'ne Gewerkschaft! Ein gelber Verband, zwischen zwei Stühlen. O
Gott, Kinder, so ein Witz...

PINNEBERG Na, erlauben Sie mal, wir sind kein gelber Verband! Wir werden nicht von den Arbeitgebern finanziert.
Wir zahlen unsern Bundesbeitrag selber.

HERR MÖRSCHEL Für die Bonzen! Für die gelben Bonzen!
Na, Emma, da hast du dir ja den richtigen ausgesucht. Einen Dag-Mann! Einen richtigen Dackel! Angestellter,
wenn ich so was höre, ihr denkt, ihr seid was Besseres als
wir Arbeiter...

PINNEBERG Denk ich nicht.

HERR MÖRSCHEL Denken Sie doch! Und warum denken Sie
das? Weil Sie ihrem Arbeitgeber nicht 'ne Woche den
Lohn stunden, sondern den ganzen Monat. Weil Sie un-
bezahlte Überstunden machen, weil Sie sich unter Tarif
bezahlen lassen, weil Sie nie 'nen Streik machen, weil Sie
immer die Streikbrecher sind...

PINNEBERG Es geht doch nicht nur ums Geld. Wir denken
doch auch anders als die meisten Arbeiter, wir haben doch
andere Bedürfnisse...

HERR MÖRSCHEL Anders denken, anders denken. Sie denken
genauso wie ein Prolet...

PINNEBERG Das glaub ich nicht, ich zum Beispiel....

HERR MÖRSCHEL Sie zum Beispiel haben sich doch Vorschuß
genommen?

PINNEBERG Wieso? Vorschuß –?

HERR MÖRSCHEL Naja. Vorschuß, da, bei der Emma. Nicht

sehr fein. Mächtig proletarische Angewohnheit...

PINNEBERG Ich...

FRAU MÖRSCHEL Ruhig bist du jetzt, Vater, mit deinem Fla-
xen! Das ist erledigt. Das geht dich gar nichts an.

LÄMMCHEN Da kommt Karl.

HERR MÖRSCHEL Also her mit dem Essen, Frau. Und recht
habe ich doch, Schwiegersohn, fragen Sie mal Ihren Pa-
stor, unfein ist das...

5. *Küche und Balkon bei Mörschels*

PINNEBERG Ich möchte, daß wir es ein bißchen hübsch hätten. Weißt du... es müßte hell sein bei uns und weiße
Gardinen und alles immer schrecklich sauber.

LÄMMCHEN Ich versteh, ich versteh, es muß schlimm sein bei
uns für dich, wo du es nicht gewöhnt bist.

PINNEBERG So meine ich es doch nicht, Lämmchen.

LÄMMCHEN Doch. Doch. Warum sollst du es nicht sagen, es
ist doch schlimm. Daß sich Karl und Vater immer zanken,
ist schlimm. Und daß Vater und Mutter immer streiten,
das ist auch schlimm. Und daß sie Mutter immer um das
Kostgeld betrügen wollen, und daß Mutter sie mit dem
Essen betrügt... alles ist schlimm.

PINNEBERG Aber warum sind sie so? Bei euch verdienen
doch drei, da müßte es doch gut gehen.

Lämmchen antwortet ihm nicht.

LÄMMCHEN Ich gehör ja nicht rein hier. Ich bin immer das
Aschenputtel gewesen. Wenn Vater und Karl nach Haus
kommen, haben sie Feierabend. Dann fang ich an mit
Aufwaschen und Plätten und Nähen und Strümpfestop-
fen. Ach, es ist nicht das, das täte man ja gerne. Aber daß
das alles ganz selbstverständlich ist und daß man dafür
noch geschubst wird und geknufft, daß man nie ein gutes
Wort bekommt und daß der Karl so tut, wie wenn er mich
ernährt, weil er mehr Kostgeld zahlt als ich... Ich verdien
doch nicht so viel – was verdient denn heute eine Verkäu-
ferin!

PINNEBERG Es ist ja bald vorbei. Ganz bald.

LÄMMCHEN Ach, es ist ja nicht das. Aber, weißt du, Junge, sie haben mich immer richtig verachtet, du Dumme sagen sie zu mir. Sicher, ich bin nicht so klug. Ich versteh vieles nicht. Und dann, daß ich nicht hübsch bin...

PINNEBERG Aber du bist hübsch!

LÄMMCHEN Du bist der erste, der das sagt. Wenn wir mal zum Tanz gegangen sind, immer bin ich sitzengeblieben. Und wenn dann Mutter zum Karl gesagt hat, er solle seine Freunde schicken, hat er gesagt: wer will denn mit so 'ner Ziege tanzen? Wirklich, du bist der erste!

Pinneberg sieht sie einen Augenblick beunruhigt an. Er denkt, vielleicht ist sie gar nicht hübsch.

LÄMMCHEN Siehst du, Jungchen, ich will dir ja nichts vorjammern. Ich will es dir nur dieses einzige Mal sagen, daß ich dir ganz furchtbar dankbar bin, nicht nur wegen des Murkels, sondern weil du das Aschenputtel geholt hast...

PINNEBERG Du, du!

LÄMMCHEN Nein, jetzt noch nicht. Und wenn ich etwas falsch mache, dann sollst du es mir sagen, und ich will dich nie belügen...

PINNEBERG Nein, Lämmchen, nein, es ist gut.

LÄMMCHEN Und wir wollen uns nie, nie streiten. O Gott, Junge, was wollen wir glücklich sein, wir beide allein. Und dann der Dritte, der Murkel.

PINNEBERG Wenn es aber ein Mädchen wird?

LÄMMCHEN Es ist ein Murkel, sage ich dir, ein kleiner süßer Murkel.

Sie stehen auf und gehen auf den Balkon. Sie sehen den Himmel an und die Sterne. Sie stehen eine Weile schweigend.

PINNEBERG Wollen wir uns auch ein Radio anschaffen?

LÄMMCHEN Ja, natürlich. Weißt du, ich bin dann nicht so mutterseelenallein, wenn du im Geschäft bist. Aber erst später. Wir müssen uns so furchtbar viel anschaffen!

Stille.

LÄMMCHEN Und deine Mutter? Du hast mir nie von ihr erzählt.

PINNEBERG Da ist auch nichts zu erzählen. Ich schreib ihr nie.

LÄMMCHEN So. Ja dann.

PINNEBERG *in Gedanken verloren* Haarschneiden kostet auch achtzig Pfennige.

LÄMMCHEN O du, laß. Was die andern können, werden wir auch können. Es wird schon gehen.

PINNEBERG Hör noch mal zu, Lämmchen. Ich will dir auch kein Haushaltsgeld geben. Zu Anfang des Monats tun wir alles Geld in einen Topf, und jeder nimmt sich etwas davon, was er braucht.

LÄMMCHEN Ja. Ich hab einen hübschen Topf dafür, blaues Steingut. Und dann wollen wir furchtbar sparsam sein. Vielleicht lern ich noch Oberhemden plätten.

PINNEBERG Fünf-Pfennig-Zigaretten sind auch Unsinn. Es gibt schon ganz anständige für drei. – Ringe müssen wir uns auch kaufen.

LÄMMCHEN O Gott ja. Sag schnell, welche magst du lieber, glänzend oder matt?

PINNEBERG Matt!

LÄMMCHEN Ich auch! Ich auch! Ich glaube, wir haben in allem den gleichen Geschmack, das ist fein. – Was werden die kosten?

PINNEBERG Ich weiß auch nicht. Dreißig Mark?

LÄMMCHEN So viel?

PINNEBERG Wenn wir goldene nehmen?

LÄMMCHEN Natürlich nehmen wir goldene. Laß sehen, wir wollen Maß nehmen.
Er rückt zu ihr. Sie nehmen einen Faden von einer Garnrolle. Es ist schwierig. Einmal schneidet das Garn ein, und einmal sitzt es zu lose.

LÄMMCHEN Hände besehen bringt Streit.

PINNEBERG Aber ich besehe sie ja gar nicht. Ich küsse sie ja. Ich küsse ja deine Hände, Lämmchen.
In der Tür steht eine weiße Gestalt.

FRAU MÖRSCHEL Wollt ihr nicht endlich ins Bett? Drei Stunden könnt ihr noch schlafen.

LÄMMCHEN Ja, Mutter.

FRAU MÖRSCHEL Es ist schon alles gleich. Ich schlaf heute bei
Vater. Der Karl bleibt heute nacht auch weg. Nimm ihn
dir mit, deinen...
Die Tür knallt zu.
PINNEBERG *etwas pikiert* Aber ich möchte wirklich nicht.
Das ist doch wirklich nicht angenehm hier bei deinen El-
tern...
LÄMMCHEN O Gott, Junge. Ich glaub, der Karl hat recht, du
bist ein Bourgeois...
PINNEBERG Aber keine Spur! Wenn es deine Eltern nicht
stört. – Und wenn der Arzt sich nun geirrt hat bei dir? –
Ich habe nämlich nichts dabei.
LÄMMCHEN Also setzen wir uns wieder auf die Küchen-
stühle. Mir tut schon alles weh.
PINNEBERG Ich komm ja schon, Lämmchen.
LÄMMCHEN Ja, wenn du nicht willst –?
PINNEBERG Ich bin ein Schaf, Lämmchen! Ich bin ein Schaf!
LÄMMCHEN Na also. Dann passen wir ja zueinander.
PINNEBERG Das wollen wir gleich sehen.

6. Revue: Lämmchen und Pinneberg träumen von der großen weiten Welt

Prospekt: Hamburger Hafen.
Lämmchen und Pinneberg begegnen Menschen (Girls)
aus allen Erdteilen und Ländern. Sie tanzen mit ihnen auf
russisch, spanisch, chinesisch, afrikanisch, südamerika-
nisch.

7. Eine mit altem Kram vollgestopfte Wohnung

Lämmchen sieht mit Pinneberg zur Balkontür hinaus.
LÄMMCHEN Hier kann man leben! Die Hofwohnung in
Altona – immer Mauern und Steine... Hier geht es immer weiter. Sieh doch nur dies alles! Der ganze Sommer!
wendet sich ins Zimmer So, und nun wollen wir die

Schreckenskammer betrachten. Bitte, Junge, nimm mich bei der Hand und führe mich. Ich habe Angst, ich stoß was um oder ich bleibe wo stecken und ich kann nicht mehr vor und zurück.

PINNEBERG Na so schlimm ist es doch auch nicht. Ich finde, hier sind sehr gemütliche Winkel.

LÄMMCHEN Du hältst mir 'ne Frau, ja? Mindestens fünf Stunden täglich muß hier 'ne Frau her.

PINNEBERG Aber warum denn?

LÄMMCHEN Und wer soll das sauber halten, bitte? Die dreiundneunzig Möbel mit ihren Kerben und Knäufen und Säulen und Muscheln, na ja, ich hätt's ja getan. Trotzdem es sündhaft ist, solche Quatscharbeit. Aber dieses Spalier, da habe ich ja allein jeden Tag drei Stunden damit zu tun. *Sie stößt an einen hölzernen Schnörkel. Er fällt zu Boden.*

PINNEBERG Wenn du's vielleicht einmal in der Woche gründlich machst?

LÄMMCHEN Unsinn! Und hier soll der Murkel aufwachsen... Wieviel Löcher soll er sich an den Knäufen und Knorren rennen? Sag!

PINNEBERG Bis dahin haben wir vielleicht 'ne Wohnung.

LÄMMCHEN Bis dahin! Und wer soll das heizen im Winter? Unterm Dach? Zwei Außenwände! Vier Fenster! Jeden Tag einen halben Zentner Briketts und dann noch gebibbert!

PINNEBERG Ja, weißt du, möbliert ist natürlich nie so wie eigen.

LÄMMCHEN Das weiß ich auch, du. Aber sag selbst, wie findest du das? Gefällt dir das? Möchtest du hier leben?

PINNEBERG Aber wir finden nichts Besseres.

LÄMMCHEN Ich finde was Besseres. Verlaß dich drauf. Wann können wir kündigen?

PINNEBERG Am ersten September. Aber...

LÄMMCHEN Zu wann?

PINNEBERG Zum dreißigsten September. Aber...

LÄMMCHEN Sechs Wochen. Nun, ich werde es überstehen... Mir tut nur der arme Murkel leid, der dies alles miterleben muß.

Reichspräsidentenwahlen 1932. Wahlplakate in Berlin

PINNEBERG Aber wir können nicht sofort wieder kündigen!

LÄMMCHEN Natürlich können wir. Am liebsten gleich, heute, diese Minute!

PINNEBERG Weißt du, Lämmchen, ich habe dich mir ganz anders gedacht. Viel sanfter ...

LÄMMCHEN Natürlich bin ich ganz anders wie du gedacht hast. Das weiß ich doch. Dachtest du, ich wäre Zucker, wo ich seit der Schule ins Geschäft gegangen bin, und bei dem Bruder, dem Vater, den Vorgesetzten, den Kollegen!

PINNEBERG Ja, weißt du ...

Uhr schlägt.

LÄMMCHEN Marsch los, Junge! Jetzt gehen wir kündigen. Und die Uhr kommt hier raus.

PINNEBERG Sollen wir wirklich ...?

LÄMMCHEN Natürlich! Du nimmst die Uhr, ich geh voran und mach die Türen auf.

Dunkel, Übergangsgeräusche.

8. Zimmer von Frau Scharrenhöfer

LÄMMCHEN Guten Abend. Wir sind ihre Mieter. Wir wollten nur guten Abend sagen.

FRAU SCHARRENHÖFER Einen Augenblick nur. Ich mache gleich Licht.

LÄMMCHEN Alle Männer sind feige.

FRAU SCHARRENHÖFER Gleich mache ich Licht. Sie sind die jungen Leute? Ich muß mich nur erst zurechtmachen, ich weine abends immer ein bißchen.

LÄMMCHEN Ja? Aber wenn wir stören ... Wir wollten nur ...

FRAU SCHARRENHÖFER Nein, ich mache Licht. Bleiben Sie, junge Leute. Ich erzähl Ihnen, warum ich geweint habe, ich mach auch Licht ... Bei mir! Die jungen Leute!

LÄMMCHEN Wir wollen aber wirklich nicht stören.

FRAU SCHARRENHÖFER Wie können Sie stören? Zu mir kommt keiner mehr. Ja, als mein guter Mann noch lebte! Aber es ist recht, daß er nicht mehr lebt.

LÄMMCHEN War er schwer krank?

FRAU SCHARRENHÖFER Sehen Sie! Junge Leute, wir hatten
vor dem Krieg gut und gern unsere fünfzigtausend Mark.
Und nun ist das Geld alle. Wie kann das Geld alle sein?
Soviel kann eine alte Frau doch nicht ausgeben?

PINNEBERG Die Inflation.

FRAU SCHARRENHÖFER Es kann nicht alle sein. Ich sitze hier,
rechne. Ich habe immer alles angeschrieben. Ich sitze, ich
rechne. Da steht: ein Pfund Butter dreitausend Mark ...
Kann ein Pfund Butter dreitausend Mark kosten?

LÄMMCHEN In der Inflation ...

FRAU SCHARRENHÖFER Ich will es Ihnen sagen. Ich weiß jetzt,
mein Geld ist mir gestohlen. Einer der hier zur Miete gewohnt hat, hat es mir gestohlen. Ich sitze und überlege:
Wer war's? Aber ich kann mir Namen nicht merken, es
haben so viele hier gewohnt seit dem Kriege. Ich sitze, ich
grüble. Er fällt mir noch ein, es ist ein ganz Kluger gewesen. Damit ich es nicht merke, hat er mein Haushaltsbuch
gefälscht. Aus 'ner drei hat er dreitausend gemacht, ich
hab's nicht gemerkt.

LÄMMCHEN Aber ùda war doch die Geldentwertung.

FRAU SCHARRENHÖFER Geraubt hat er es mir. Ich will Ihnen
die Bücher zeigen, ich hab es jetzt gemerkt, die Zahlen
sind nachher ganz anders. – So viele Nullen.
Uhr schlägt neun mal.

FRAU SCHARRENHÖFER Ja? Das ist die Verlobungsuhr von
meinem Mann. Sie stand doch sonst drüben?

LÄMMCHEN Wir wollten Sie bitten, Frau Scharrenhöfer ...

FRAU SCHARRENHÖFER Die jungen Leute haben mir meine
Uhr wiedergebracht, das Verlobungsstück von meinem
Mann. Es gefällt den jungen Leuten bei mir nicht. Sie
bleiben auch nicht bei mir. Keiner bleibt ...
Uhr schlägt wieder, immer weiter.

PINNEBERG Das kommt vom Tragen. Sie verträgt das Tragen
nicht mehr.

LÄMMCHEN O Gott, komm schnell.
*Sie stehen auf. Aber in der Tür steht die Alte, läßt sie nicht
vorbei, sieht die Uhr an.*

FRAU SCHARRENHÖFER Sie schlägt. Sie schlägt immerzu.

PINNEBERG Bitte, Frau Scharrenhöfer, es tut mir sehr leid, daß ich Ihre Uhr angefaßt habe.

LÄMMCHEN Ich bin schuld, ich ganz allein...

Uhr hört auf zu schlagen.

FRAU SCHARRENHÖFER Eine gute Nacht, junge Leute. Vergessen Sie nur am Montag nicht die Anmeldung bei der Polizei! Sonst habe ich Scherereien.

9. Revue: Der Teufel kocht die Inflation

Prospekt: Hölle
Frau Scharrenhöfer, kostümiert als eine EINS, irrt ratlos herum. Aus einem dampfenden Kessel, in dem des Teufels Großmutter rührt, kommen Girls als NULLEN heraus, sie springen und tanzen auf den Felsen, um die Büsche. Eine NULL hüpft hinter der EINS her, dann schließen sich drei NULLEN an, dann noch einmal zwei NULLEN – schließlich tanzt eine lange Reihe von NULLEN hinter der EINS über die Bühne.

LÄMMCHEN Du, Junge, ich will nicht so werden wie die Frau Scharrenhöfer! Nicht wahr, ich kann nicht so werden wie die? Ich hab Angst.

PINNEBERG Aber du bist doch Lämmchen! Du bist doch Lämmchen und bleibst Lämmchen, wie kannst du werden wie die olle Scharrenhöfer?

10. Im Bett

LÄMMCHEN Ich will dich noch etwas fragen.

PINNEBERG Also frag schon. Frag schon, Lämmchen.

LÄMMCHEN Willst du es nicht so sagen?

PINNEBERG Aber ich weiß doch gar nicht, was du fragen willst.

LÄMMCHEN Du weißt.

PINNEBERG Aber bestimmt nicht, Lämmchen...

LÄMMCHEN Du weißt.

PINNEBERG Lämmchen, bitte sei vernünftig. Frag schon.

LÄMMCHEN Du weißt.

PINNEBERG Also dann nicht!

LÄMMCHEN Junge, Junge, erinnerst du dich noch, wie wir in Hamburg in der Küche saßen? An unserem Verlobungstag? Es war ganz dunkel und so viele Sterne und manchmal gingen wir auf den Küchenbalkon.

PINNEBERG Ja, weiß ich alles. Und?

LÄMMCHEN Weißt du nicht mehr, was wir da besprochen haben?

PINNEBERG Na, hör mal, da haben wir uns eine hübsche Menge zusammengequasselt. Wenn ich das noch alles wissen soll!

LÄMMCHEN Aber wir haben etwas ganz Bestimmtes besprochen. Uns versprochen sogar.

PINNEBERG Weiß ich nicht.

LÄMMCHEN Wir haben uns in die Hand versprochen, daß wir immer ehrlich zueinander sein wollten und keine Geheimnisse voreinander haben.

PINNEBERG Erlaube mal, das war anders. Das hast du mir versprochen.

LÄMMCHEN Und du willst nicht ehrlich sein?

PINNEBERG Natürlich will ich das. – Aber es gibt Sachen, die brauchen Frauen nicht zu wissen.

LÄMMCHEN So! Und daß du dem Chauffeur fünf Mark gegeben hast, wo die Taxe nur zwei Mark vierzig machte, das ist solche Sache, die wir Frauen nicht wissen dürfen?

PINNEBERG Der hat doch den Koffer und den Bettsack raufgetragen!

LÄMMCHEN Für zwei Mark sechzig? Und warum hast du die rechte Hand in der Tasche getragen, daß man den Ring nicht sieht? Und warum hat das Verdeck vom Auto zu sein müssen? Und warum bist du vorhin nicht mit zum Kaufmann runtergegangen? Und warum darf niemand merken, daß wir verheiratet sind? Und warum...

PINNEBERG Lämmchen, Lämmchen, ich möchte wirklich nicht –

LÄMMCHEN Das ist ja alles Unsinn, Junge. Du darfst einfach

keine Geheimnisse vor mir haben. Wenn wir erst Geheimnisse haben, dann lügen wir auch, dann wird es bei uns wie bei allen andern.

PINNEBERG Ja, ja, Lämmchen, weißt du, es ist alles nicht so einfach. Ich möchte schon, aber ... es sieht so dumm aus, es klingt so ...

LÄMMCHEN Ist es was mit einem Mädchen?

PINNEBERG Nein. Nein. Oder doch, aber nicht so, wie du denkst.

LÄMMCHEN Wie denn? Erzähl doch, Junge. Ach, ich bin ja so schrecklich gespannt.

PINNEBERG Also, Lämmchen, meinethalben. Kann ich es dir nicht morgen erzählen?

LÄMMCHEN Jetzt auf der Stelle! Glaubst du, ich kann schlafen, wenn ich mir so den Kopf zerbrechen muß? Es ist was mit einem Mädchen, aber es ist doch nichts mit einem Mädchen ... Es klingt so geheimnisvoll.

PINNEBERG Also, hör schon. Mit Bergmann muß ich anfangen, du weißt doch, im Anfang war ich hier bei Bergmann.

LÄMMCHEN In der Konfektion, ja. Und ich finde ja auch Konfektion viel netter als Kartoffeln und Düngemittel – verkauft ihr auch richtigen Mist?

PINNEBERG Also, wenn du mich jetzt veralberst, Lämmchen –!

LÄMMCHEN Ich höre ja schon.

PINNEBERG Also bei Bergmann war ich erster Verkäufer mit hundertsiebzig Mark ...

LÄMMCHEN Erster Verkäufer und hundertsiebzig Mark?!

PINNEBERG Stille biste! Da habe ich immer den Herrn Emil Kleinholz bedienen müssen. Er hat viel Anzüge gebraucht. Weißt du, er trinkt. Das muß er schon von Geschäftswegen mit den Bauern und Gutsbesitzern. Aber er verträgt das Trinken nicht. Und dann liegt er auf der Straße und versaut sich seine Anzüge.

LÄMMCHEN Äh! Wie sieht er denn aus?

PINNEBERG Hör schon. Also ich habe ihn immer bedienen müssen und dabei hat er auf mich eingeredet, wenn ich mich mal verändern will, und wenn ich die Judenwirt-

28

schaft über habe, und er hat einen rein arischen Betrieb, und 'nen feinen Buchhalterposten, und mehr verdiene ich auch bei ihm ... Ich hab gedacht: red du nur! Ich weiß, was ich hab, und der Bergmann ist gar nicht schlecht, immer anständig zu den Angestellten.

LÄMMCHEN Und warum bist du dann doch von ihm weg zu Kleinholz?

PINNEBERG Ach, wegen so 'nem Quatsch. Weißt du, Lämmchen, das ist doch hier in Ducherow so, daß jedes Geschäft am Morgen die Post durch seine Lehrlinge vom Amt abholt. Zwei Wochen hab ich's mal gemacht, weil der Lehrling krank war. Und das hat der Chefin so gut gefallen und da hat sie einfach erklärt: »Herr Pinneberg kann jetzt immer die Post holen.« Und ich hab gesagt: »Nein, wie komm ich denn dazu? Ich bin erster Verkäufer, ich renn nicht mit Paketen durch die Stadt.« Und sie hat gesagt: »Doch!« und ich hab gesagt: »Nein!« und schließlich sind wir beide in Wut gekommen, und ich hab ihr gesagt: »Sie haben mir überhaupt nichts zu befehlen. Ich bin vom Chef engagiert!«

LÄMMCHEN Und was hat der Chef gesagt?

PINNEBERG Was soll er sagen? Seiner Frau kann er doch nicht unrecht geben! »Ja, dann werden wir uns trennen müssen, Herr Pinneberg!« hat er gesagt. Unglücklich kommt gerade den Tag Kleinholz ins Geschäft und merkt, daß ich aufgeregt bin und macht mir ein Angebot.

LÄMMCHEN O, Junge. Und dein anderer Chef, der Bergmann? Was hat der gesagt?

PINNEBERG »Sie werden doch nicht mit sehenden Augen rennen in Ihr Verderben?!« hat er gesagt. »Was wollen Sie die Schickse heiraten, wo Sie sehen, die Memme treibt den Vater schon in den Suff. Und die Schickse ist schlimmer als die Memme.«

LÄMMCHEN Hat er wirklich so geredet, dein Chef?

PINNEBERG Na, das sind doch hier noch olle richtige Juden. Die sind stolz darauf, daß sie Juden sind.

LÄMMCHEN Ich mag die Juden nicht sehr gerne. Und was war das mit der Tochter?

PINNEBERG Ja, denk dir, das war nun der Haken. Vier Jahre
habe ich in Ducherow gelebt und habe es nicht gewußt,
daß der Kleinholz seine Tochter mit Gewalt verheiraten
will. Die Mutter ist schon schlimm, keift den ganzen Tag
und zottelt so in Häkeljacken herum, aber die Tochter,
Marie heißt das Biest!

LÄMMCHEN Und die solltest du heiraten, armer Junge?

PINNEBERG Die soll ich heiraten, Lämmchen.

LÄMMCHEN O Gott, du armer Junge. Und das wolltest du mir
nicht erzählen? Und warum bist du ganz heimlich verheiratet mit geschlossenem Verdeck und der Ringhand in der
Hosentasche?

PINNEBERG Darum, ja. Ach Gott, Lämmchen, wenn die
rauskriegen, daß ich verheiratet bin, die Weiber ekeln
mich ja in einer Woche heraus.

LÄMMCHEN Aber glaubst du nicht, es kommt doch raus, auch
wenn wir noch so vorsichtig sind?

PINNEBERG Es darf nicht rauskommen! Ich hab alles so
heimlich gemacht und nun wohnen wir hier draußen und
in der Stadt sieht uns nie jemand zusammen, und wenn wir
uns wirklich mal auf der Straße sehen, dann grüßen wir
uns eben nicht. Nur nicht arbeitslos werden.

LÄMMCHEN Nur nicht.

11. Büro Kleinholz

LAUTERBACH Ich finde das einfach genial! Bisher hatten wir
nur die Sturmnummer. Weißt du, Pinneberg, arabisch ge-
stickte Ziffer auf dem rechten Spiegel. Nun haben wir
auch noch 'ne Zweifarbenschnur am Kragen gekriegt.
Genial ist das, nun kann man immer schon von hinten sehen, zu welchem Sturm jeder SA-Mann gehört. Denk dir
aus, was das praktisch bedeutet! Also, wir sind in 'ner
Klopperei, will ich mal sagen, und ich seh nun, da hat einer
einen in der Mache, und ich seh nun auf den Kragen . . .

PINNEBERG Fabelhaft. War eigentlich München 387 536 'ne
Sammelladung?

LAUTERBACH Der Weizenwagen? Ja. – Und denk mal, unser
Gruf trägt jetzt 'nen Stern am linken Spiegel.

PINNEBERG Was ist 'n Gruf?

Schulz kommt.

SCHULZ Morjen. Na, ihr wißt natürlich wieder nichts!

LAUTERBACH Welche Deern hast du denn gestern wieder zur
Schnuppe-Schnappe-Schneppe gemacht?

SCHULZ Nichts wißt ihr. Gar nichts. Ihr sitzt hier, ihr rechnet
Frachtbriefe, ihr macht Kontokorrent, und dabei ...

LAUTERBACH Na, was dabei –

SCHULZ Emil ... Emil und Emilie ... gestern abend im Tivoli ...

LAUTERBACH Hat er sie mal mitgenommen? So was lebt
nicht!

SCHULZ Die Kleemuster müßten auch endlich raus. Wer
macht denn das, du oder Lauterbach?

PINNEBERG Du!

SCHULZ Kleemuster bin ich doch nicht. Kleemuster ist doch
unser lieber landwirtschaftlicher Sachverständiger. Mit
der kleinen schwarzen Frieda aus der Rahmenfabrik hat
der Chef gescherbelt, ich zwei Schritte ab, und plötzlich
die Olle auf ihn nieder. Emilie im Morgenrock, darunter
hat sie wohl nur das Hemd gehabt ...

PINNEBERG Im Tivoli –?

LAUTERBACH Du sohlst ja, Schulz!

SCHULZ So wahr ich hier sitze! Im Tivoli, die Harmonie
hatte Familien-Tanzabend. Militärkapelle aus Platz, fein
mit Ei! Reichswehr mit Ei! Und plötzlich unsere Emilie,
nieder auf ihren Emil, ihm eine geklebt, du oller Sauf-
kopp, du gemeine Sau ...

LAUTERBACH Also erzähl es nochmal, Schulz. Frau Kleinholz kommt also in den Saal ... Ich kann mir das gar nicht
recht vorstellen ... Durch welche Tür denn? Wann hast
du sie zuerst gesehen?

SCHULZ Was soll ich denn noch sagen? Du weißt doch
schon. Also sie kommt rein, gleich die Tür vom Gang her,
hochrot, weißt du, sie wird doch so blau-lila-rot ... Sie
kommt also rein ...

Emil Kleinholz kommt. Die drei fahren auseinander, sitzen auf ihren Stühlen, Papier raschelt. Kleinholz betrachtet sie, steht vor ihnen.

KLEINHOLZ Nischt zu tun? Wer ich einen abbauen. Na, wen –?

Die drei sehen nicht hoch.

KLEINHOLZ Rationalisieren. Wo drei faul sind, können zwei fleißig sein. Wie ist es mit Ihnen, Pinneberg? Sie sind der Jüngste hier.

Pinneberg antwortet nicht.

KLEINHOLZ Na, natürlich, dann kann keiner reden. Aber vorher – wie sieht meine Olle aus. Sie oller Bock, blau-lila-rot? Soll ich Sie rausschmeißen? Soll ich Sie auf der Stelle rausschmeißen?

SCHULZ Wir haben überhaupt nicht von Ihnen gesprochen, Herr Kleinholz.

KLEINHOLZ Na und– Sie?

LAUTERBACH Ja, Herr Kleinholz?

KLEINHOLZ Abbauen tu ich einen von euch Brüdern! Ihr sollt sehen ... Und die andern sitzen deswegen noch lange nicht sicher, von euch laufen genug rum. Gehen Sie auf den Futterboden, Lauterbach, sacken Sie mit dem Kruse hundert Zentner Erdnußkuchenmehl ein. Halt, nein, der Schulz soll gehen, der sieht heute wieder aus wie seine ei-gene Leiche, wird ihm gut tun, die Säcke heben. Sie gehen zur Bahn, Lauterbach, aber ein bißchen Trab. Für morgen früh sechs bestellen Sie vier Zwanzigtonner geschlossen, wollen den Weizen an die Mühle verladen. Ab!

Pinneberg setzt sich an die Schreibmaschine.

KLEINHOLZ Sie, Pinneberg, einen Augenblick ...

PINNEBERG Bitte, Herr Kleinholz?

KLEINHOLZ Sie schreiben wegen dem Rotklee. Lassen Sie das doch Lauterbach ... Mit den Waggons, das ist in Ord-nung?

PINNEBERG Ist in Ordnung, ja, Herr Kleinholz.

KLEINHOLZ Müssen wir alle heute nachmittag feste ran und Weizen sacken. Meine Weiber müssen auch mithelfen. Säcke zubinden.

PINNEBERG Ja, Herr Kleinholz.

KLEINHOLZ Die Marie ist ganz tüchtig bei so was. Ist überhaupt ein tüchtiges Mädchen. Nicht grade 'ne Schönheit, aber tüchtig ist sie.

PINNEBERG Gewiß, Herr Kleinholz.

Sie sitzen einander gegenüber.

KLEINHOLZ Ja, Pinneberg. Haben Sie sich das nun mal überlegt? Wie ist es denn nun damit?

PINNEBERG Womit, Herr Kleinholz?

KLEINHOLZ Mit dem Abbau. Wen würden Sie denn wohl an meiner Stelle entlassen?

PINNEBERG Das kann ich doch nicht sagen, Herr Kleinholz. Ich kann doch nicht gegen meine Kollegen reden.

KLEINHOLZ Sich würden Sie also nicht entlassen, wenn Sie ich wären?

PINNEBERG Wenn ich Sie –? Mich selbst? Ich kann doch nicht . . .

KLEINHOLZ Na, ich bin überzeugt, Sie überlegen sich die Sache. Sie haben ja wohl monatliche Kündigung. Das wäre dann also am 1. September zum 1. Oktober, nicht wahr?

12. Wohnung Pinneberg

PINNEBERG *draußen auf dem Flur* Mittagessen!

LÄMMCHEN Mein Mittagessen!

PINNEBERG Noch nicht gedeckt?

LÄMMCHEN Einen Augenblick, Jungchen, gleich. Darf ich den Topf auf den Tisch bringen? Aber ich nehme auch gerne die Terrine!

PINNEBERG Was gibt's denn?

LÄMMCHEN Erbsensuppe.

PINNEBERG Fein. Na bring schon den Topf. Ich decke unterdessen.

LÄMMCHEN Scheint etwas dünn.

PINNEBERG Wird schon so richtig sein.

LÄMMCHEN O Gott! Wie dünn! O Gott! Das Salz! Und sie müßte so gut sein. Ich hab alles richtig genommen, ein halbes Pfund Erbsen, ein halbes Pfund Fleisch, ein ganzes Pfund Knochen, das müßte eine gute Suppe sein!

PINNEBERG Wieviel Wasser hast du denn genommen, Lämmchen?

LÄMMCHEN Es muß an den Erbsen liegen! Die Erbsen geben rein gar nichts aus!

PINNEBERG Wieviel Wasser?

LÄMMCHEN Nun, den Topf voll.

PINNEBERG Fünf Liter – und ein halbes Pfund Erbsen. Ich glaube, Lämmchen, es liegt an dem Wasser. Das Wasser ist zu dünn.

LÄMMCHEN Meinst du? Hab ich zuviel genommen? Fünf Liter. Es sollte aber für zwei Tage reichen.

PINNEBERG Fünf Liter – ich glaube, es ist zuviel für zwei Tage. Ne, entschuldige, Lämmchen, es ist wirklich nur heißes Wasser.

LÄMMCHEN Ach, mein armer Junge, hast du schrecklichen Hunger? Was mach ich nun? Soll ich ganz schnell Bratkartoffeln und Spiegeleier machen? Spiegeleier und Bratkartoffeln kann ich bestimmt.

PINNEBERG Also los!

LÄMMCHEN Jungchen, wenn ich nun eine untüchtige Hausfrau bin! Ich möchte es gerne alles so nett für dich machen. Und wenn der Murkel kein richtiges Essen kriegt, kommt er auch nicht vorwärts!

PINNEBERG Meinst du jetzt oder nachher?

LÄMMCHEN Siehst du, du veräppelst mich auch noch.

PINNEBERG Mit der Suppe, das habe ich mir schon überlegt. Der Suppe fehlt doch gar nichts, nur zuviel Wasser. Wenn du sie noch mal aufsetzt und ganz lange richtig kochen läßt, daß alles Wasser auskocht, was zuviel ist, dann haben wir doch 'ne richtige gute Erbsensuppe.

LÄMMCHEN Fein! Mach ich gleich heute nachmittag, dann essen wir noch einen Teller zum Abendessen. Kannst du dich nicht einen Augenblick hinlegen? Du siehst so müde aus, Jungchen.

PINNEBERG Dieser Kleinholz ... Wenn ich ihm nichts sage wegen der Marie, kündigt er mir doch bestimmt am Ersten. Wenn ich ihm einfach die Wahrheit sage? Wenn ich ihm sage, daß ich verheiratet bin, daß er mich nicht auf die Straße setzen soll?

LÄMMCHEN Ich, ich spräche mal mit meinen Kollegen. Vielleicht hat er denen auch so gedroht wie dir. Und wenn ihr dann alle zusammenhaltet, allen dreien wird er ja nicht kündigen.

PINNEBERG Das mag angehen. Wenn sie einen nur nicht reinlegen. Lauterbach betrügt nicht, der ist schon viel zu doof dazu, aber Schulz...

LÄMMCHEN Deine Kollegen werden dich doch nicht reinreißen! Nein, Jungchen, es wird schon werden. Ich glaub immer, es kann uns gar nicht schlecht gehen. Warum denn eigentlich? Fleißig sind wir, sparsam sind wir, schlechte Menschen sind wir auch nicht, den Murkel wollen wir auch, und gerne wollen wir ihn – warum soll es uns da eigentlich schlecht gehen? Das hat doch gar keinen Sinn!

13. Auf dem Weizenboden

Getreidehaufen, Säcke, drei Waagen, das ganze Personal der Firma Kleinholz arbeitet fieberhaft.

KLEINHOLZ *prüft die Waage* Haben Sie Sackgewicht drauf, richtiges Sackgewicht, Herr Lauterbach? So ein Idiot! Ein Zweizentnersack wiegt drei Pfund, keine zwei Pfund! Genau zwei Zentner drei Pfund werden gesackt, meine Herren. Und daß mir keiner ein Übergewicht gibt. Ich habe nischt zu verschenken. Ich wiege nach, mein schöner Schulz.

Ein Sack geht auf, Weizen prasselt auf den Boden.

KLEINHOLZ Wer hat den Sack zugebunden? Sie, Schmidten? Gottverdammich, Sie sollten doch mit Säcken umgehen können! Sie sind doch auch keine Jungfer mehr. Glotzen Sie nicht, Pinneberg, Ihre Waage hat Ausschlag. Habe ich Ihnen nicht gesagt, Sie Trottel, wir geben keinen Ausschlag? Gucken Sie nicht so dämlich! Wenn Ihnen hier was nicht paßt, bitte, Sie können gehen. – Schulz, Sie

Bock, lassen Sie sofort die Marheinecke los. Will der Kerl auf meinem Weizenboden mit den Weibern loslegen. Halten Sie's Maul! Sie haben die Marheinecke in den Hintern gekniffen. Wieviel Sack haben Sie jetzt?

SCHULZ Dreiundzwanzig.

KLEINHOLZ Nicht vorwärts geht das. Nicht vorwärts! Aber das sage ich Euch, keiner kommt mir vom Boden runter, bis die achthundert Sack fertig sind! Vesper gibt's nicht. Und wenn Ihr um elf Uhr nachts hier noch steht, das will ich doch mal sehen... Lederer, fassen Sie gefälligst die Schippe vernünftig an! Mensch, faßt man so 'ne Schippe an?! Halt den Sack ordentlich auf, du Fettsau, 'ne Schnauze muß er haben. So macht man das...

PINNEBERG Noch ein bißchen, Frau Friebe. Noch eine Kleinigkeit. So, nun ist es wieder zu viel. Noch 'ne Handvoll raus. Ab damit! Der nächste! Halten Sie sich ran, Hinrichsen, Sie sind jetzt dran. Sonst stehen wir noch um Mitternacht hier.

KLEINHOLZ *zu einem alten Arbeiter* Los mit Ihnen, Kube! Was haben Sie rausgewogen aus dem Haufen? Achtundneunzig Zentner? Hundert waren's. Das ist der Weizen aus Nickelshof. Hundert Zentner waren das. Wo haben Sie die zwei Zentner gelassen, Schulz? Ich wiege nach. Los, wieder rauf mit dem Sack auf die Waage.

KUBE Ist zusammengeschnurrt in der Hitze, der Weizen. War höllisch zach, als er von Nickelshof kam.

KLEINHOLZ Kauf ich zachen Weizen? Halt du die Schnauze, du! Will hier reden. Hast ihn nach Haus getragen zu Muttern, was? Zusammengeschnurrt, wenn ich das höre! Geklaut ist er, hier mausen doch alle.

KUBE Das ha ick nich nödig, Herre, daß Sie mir hier was von Klauen sagen. Ick meld das dem Verband. Das ha ick nich nödig, das wollen wir mal sehen.

KLEINHOLZ Hab ich was gesagt, daß du 'n geklaut hast? Keinen Ton hab ich gesagt. Mäuse klauen auch, Mäusefraß haben wir immer. Müssen wir mal wieder Meerzwiebeln legen oder Diphtherie impfen, Kube.

KUBE Sie haben gesagt, Herr Kleinholz, ich hab hier Weizen

geklaut. Da sind se alle Zeuge für auf dem Boden. Ich geh zum Verband. Ich zeig Sie an, Herr Kleinholz.

KLEINHOLZ Nichts hab ich gesagt. Kein Wort hab ich zu Ihnen gesagt. Heh, Herr Schulz, habe ich was zu Kube gesagt von Klauen?

SCHULZ Habe nichts gehört, Herr Kleinholz.

KLEINHOLZ Siehst du, Kube. Und Sie, Herr Pinneberg, haben Sie was gehört?

PINNEBERG *zögernd* Nein, nichts.

KLEINHOLZ Na also, ewig du mit deinen Stänkereien, Kube. Das will 'n Betriebsrat sein.

KUBE Machen Se's sachte, Herr Kleinholz. Sie fangen schon wieder an. Sie wissen doch von wegen. Dreimal sind Sie mit dem ollen Kube schon reingefallen vors Gericht. Ich geh auch viertens. Ich hab keine Bange, Herr Kleinholz.

KLEINHOLZ Quasseln tust du. Du bist ja alt, Kube, du weißt ja nicht mehr was du redest. So ein Mitleid hab ich mit dir! Ich geh mal aufs Büro, Pinneberg. Passen Sie hier auf, daß weitergemacht wird. Vesper gibt's nicht, verstanden? Sie stehen mir dafür, Pinneberg!

Er verschwindet über die Bodentreppe.

EIN ARBEITER Na, warum der heute so aus der Tüte ist, das weiß man ja.

EIN ANDERER Soll man einen auf die Lampe gießen, dann wird ihm schon anders.

KUBE Vesper! Vesper!

PINNEBERG Ich bitte Sie, Kube, ich bitte Sie, machen Sie doch keine Geschichten, wo es Herr Kleinholz ausdrücklich verboten hat.

KUBE Is Tarif, Herr Pinneberg. Vesper is Tarif. Das kann uns der Alte nicht nehmen.

PINNEBERG Aber ich krieg den schlimmsten Krach...

KUBE Was geht mir das an! Wo Se nicht mal gehört haben, daß er mir Mausehaken geschimpft hat –!

PINNEBERG Wenn Sie in meiner Lage wären, Kube...

KUBE Weeß ich. Weeß ich. Wenn alle so dächten wie Sie, junger Mann, dann dürften wir wohl wegen der Herren Arbeitgeber in Ketten schuften und für jedes Stück Brot 'nen Psalm singen. Na, Sie sind noch jung, Sie haben was vor sich, Sie werden ja auch noch erleben, wie weit Sie mit der Kriecherei kommen. Also – Vesper!

EIN ARBEITER Können ja weitersacken, die Herren.

EIN ANDERER Sich 'nen weißen Fuß machen bei Emil! Dann läßt er sie vielleicht mal am Cognac riechen.

EIN ANDERER Nee, an Mariechen riechen!

EIN ANDERER Alle dreie?

Brüllendes Gelächter.

EIN ANDERER Die nimmt alle drei, die is nich so.

LAUTERBACH *fängt an zu singen, dann alle.*

Mariechen!
Du süßes Viehchen!
Du bist mein Alles,
bist mein Edelstein!
Mariechen!
Ich möchte kriechen
Dir in dein kleines Herz hinein!

PINNEBERG Wenn das gut geht!

SCHULZ Ich mach das nicht länger mit. Hab ich es nötig, mich hier vor allen Bock schimpfen zu lassen?! – Oder ich mach der Marie ein Kind und laß sie sitzen.

LAUTERBACH Man müßte ihm mal auflauern, wenn er sich nachts besoffen hat, und ihn im Dunkeln gehörig vertrimmen. Das hilft.

PINNEBERG Und tun tut keiner was von uns. Die Arbeiter haben ganz recht. Wir haben ewig Schiß.

LAUTERBACH Wenn du hast. Ich hab keinen.

SCHULZ Ich auch nicht. Ich hab überhaupt den ganzen Laden hier dicke.

PINNEBERG Na, dann tun wir doch was. Hat er denn mit euch nicht gesprochen, heute früh? Ich will euch was sagen. Mir hat er heute früh erst von der Marie was vorgequasselt, was sie für ein tüchtiges Mädchen ist, und dann, daß ich mich zum Ersten erklären soll, was, weiß ich eigentlich nicht, ob ich mich freiwillig abbauen lassen will, weil ich doch der jüngste bin, also die Marie.

LAUTERBACH Bei mir war's auch so. Weil ich Nazi bin, davon

hat er solche Unannehmlichkeiten.

SCHULZ Und bei mir, weil ich mal mit 'nem Mädchen ausgehe.

PINNEBERG Na, und?

SCHULZ Wieso und?

PINNEBERG Was wollt ihr denn zum Ersten sagen?

LAUTERBACH Was sagen?

PINNEBERG Ob ihr die Marie wollt?

LAUTERBACH Ganz ausgeschlossen!

SCHULZ Eher stempeln gehen!

PINNEBERG Na also.

SCHULZ Was na also?

PINNEBERG Dann können wir doch auch was verabreden.

LAUTERBACH Aber was denn?

PINNEBERG Zum Beispiel: wir geben unser Ehrenwort darauf, daß wir zu der Marie alle drei Nein sagen.

SCHULZ Von der wird er schon nicht reden, so dumm ist Emil nicht.

LAUTERBACH Marie ist kein Kündigungsgrund.

PINNEBERG Also dann, daß wir ausmachen, wenn er einen von uns kündigt, kündigen die beiden anderen auch. Ehrenwörtlich ausmachen. Alle drei läßt er uns sicher nicht gehen.

LAUTERBACH Da hat Pinneberg recht. Das tut er jetzt nicht. Ich geb mein Ehrenwort.

PINNEBERG Ich auch. Und du, Schulz?

SCHULZ Meinetwegen, ich mach mit.

KUBE Vesper vorbei! Wenn die Herren Beamten sich bemühen wollen?

PINNEBERG Also es ist fest?

SCHULZ Ehrenwort!

LAUTERBACH Ehrenwort!

14. Revue: Maries Traum von Willy Fritsch

Marie Kleinholz liegt in der Badewanne und singt. Während sie singt kommt ein riesiger Dinosaurier herein, fischt

Aus dem Film »Wege zu Kraft und Schönheit«, 1926

Marie aus der Wanne und trägt sie, die immer noch
singt, davon. Die Szene verwandelt sich in einen
Dschungel, mit Girls auf den Bäumen

MARIE *singt:*

Lieber Gott, ich bin noch klein
Und mein Herz ist stubenrein,
Doch es wird nicht lang mehr so sein.
Unschuld breitet sich nicht aus,
Hast du Willy Fritsch im Haus,
Nächstens flieg ich aus der Schule raus,
Dann ist die UFA schuld.
Denn:
Warum ist der Willy Fritsch so schön,
Ich trau mich nicht mehr ins Bettchen zu gehn.
Kommt er gar im Traum als Offizier,
Dann werd ich zum Weib, ich kann nichts dafür.
Warum bebt mein Busen, seh ich sein Gesicht,
Und bei Erich Ponto bebt er nicht.
Warum wohnt der Willy Fritsch so weit,
Ich kann nicht zu ihm, ich tu mir so leid.

15. Auf der Treppe bei Kleinholz

KLEINHOLZ Machen Sie mal morgen Stalldienst für Lauterbach, Pinneberg. Er hat mich um Urlaub gebeten.

PINNEBERG Tut mir schrecklich leid, Herr Kleinholz. Morgen kann ich nicht. Ich hab das Lauterbach auch schon gesagt.

KLEINHOLZ Das wird sich bei Ihnen ja verschieben lassen.
Sie haben ja noch nie was Wichtiges vorgehabt.

PINNEBERG Diesmal leider doch, Herr Kleinholz.

KLEINHOLZ Hören Sie, Pinneberg, machen Sie keine Geschichten. Ich hab dem Lauterbach Urlaub gegeben, ich
kann es nicht wieder rückgängig machen.

Pinneberg antwortet nicht.

KLEINHOLZ Sehen Sie, Pinneberg. Der Lauterbach ist ja 'ne
doofe Nuß. Aber er ist nun mal Nazi und sein Gruppen-

führer ist der Müller-Rothsprack. Mit dem möchte ich es auch nicht verderben, der hilft uns immer mal aus, wenn wir schnell was zu mahlen haben.

PINNEBERG Aber ich kann wirklich nicht, Herr Kleinholz.

KLEINHOLZ Die andern können alle nicht, Herr Pinneberg.

PINNEBERG Aber ich habe keine Zeit, Herr Kleinholz.

KLEINHOLZ Herr Pinneberg, Sie werden doch nicht verlangen, daß ich morgen für Sie Dienst mache, bloß weil Sie Launen haben. Was haben Sie denn morgen vor?

PINNEBERG Ich habe... Ich muß...

KLEINHOLZ Na also! Sehen Sie! Ich kann mir doch mein Kleegeschäft nicht verbuttern, bloß weil Sie nicht wollen, Herr Pinneberg! Seien Sie vernünftig.

PINNEBERG Ich bin vernünftig, Herr Kleinholz. Aber ich kann bestimmt nicht.

KLEINHOLZ Ich hab mich schwer in Ihnen getäuscht, Herr Pinneberg, schwer getäuscht.

16. Revue: Bürgerglück im Grünen

Sonntagsausflug. Spaziergänger, Radfahrer, Kinder, Familien, eine Jugendgruppe. Pinneberg mit Lämmchen. Picknick. Ballspiel. Unartige Kinder werden verprügelt. Leute am Aussichtsfernrohr.

CHOR:
Jeden Sonntag wenn es schön ist, fahr ich aufs Land,
Wo kein Auto fährt
Und kein Mensch mich stört
Und schon morgens in der Frühe sag ich zu Brigitt:
Heut fahr ich hinaus ins Grüne und ich nehm dich mit.
Heut fahr ich mit dir in die Natur
Zu Mutter Grün,
Die Blumen blühn,
Alle Vögel sind schon da,
Trallalalalala.
Enten, Gänse, Hühner,
Das ganze Federvieh,

42

Flattern, gackern, schnattern,
Ein Hahn macht kikeriki.
Und der Sperling zankt mit seiner Frau,
Die Katz macht miau,
Der Hund wauwau,
Und der Himmel ist so blau,
Trallalalalala.

Ein Auto kommt. Familie Kleinholz sitzt drin. Das Auto hält, sie starren auf Lämmchen und Pinneberg. Das Auto fährt weiter.

PINNEBERG Wir sind erschossen, Lämmchen. Morgen schmeißt er mich raus.

LÄMMCHEN Wer denn? Wer?

PINNEBERG Na, Kleinholz doch! Ach Gott, du weißt es ja noch gar nicht. Das waren Kleinholzens.

LÄMMCHEN Ach Gott! Das nenne ich nun freilich Malesche!

JUGENDGRUPPE *singt:*
Ein neuer Frühling wird in die Heimat kommen,
Schöner noch wie's einmal war!
Ein neuer Frühling wird in die Heimat kommen,
Alles wird so wunderbar!
Und man wird wieder das Lied der Arbeit singen,
Grade so wie's einmal war!
Es geht im Schritt und im Tritt
Auch das Herz wieder mit
Und dann fängt ein neuer Frühling an!

17. Büro Kleinholz

PINNEBERG *für sich* Heut ist Kündigungstag.

KLEINHOLZ Na, Sie sehen ja heute festlich aus. Ihnen kann ich wohl keine Dreckarbeit geben? Machen Sie mir mal den Kontoauszug für die Gutsverwaltung Hönow per einunddreißigsten August. Und passen Sie vor allem bei den Strohlieferungen auf. Die haben da mal Haferstroh statt Roggenstroh geliefert, und der Waggon ist beanstandet.

PINNEBERG Weiß Bescheid, Herr Kleinholz. Das war der

Waggon, der an den Rennstall in Karlshorst ging.

KLEINHOLZ Sie sind einer. Sie sind richtig, Herr Pinneberg. Wenn man alles solche Leute wie Sie hätte! Na, machen Sie das dann. Guten Morgen.

Kleinholz ab.

PINNEBERG O Lämmchen! Oh, du mein Lämmchen! Wir sind sicher, wir brauchen keine Angst mehr zu haben wegen der Stellung und wegen dem Murkel!

Er steht auf und holt sich die Mappe mit dem Sachverständigengutachten.

PINNEBERG Wie war also der Saldo per einunddreißigsten März? Debet. Dreitausendsiebenhundertfünfundsechzig Mark funfundfünfzig. Also dann... *Er schaut auf wie vom Donner gerührt* Und ich Ochse habe mit den anderen ehrenwörtlich ausgemacht, daß wir kündigen, wenn einer von uns gekündigt wird. Und ich habe das selber angestiftet, ich Idiot, ich Hornvieh! Ich denke doch gar nicht daran... Der schmeißt uns ja einfach alle drei raus!

Er springt auf, er läuft hin und her.

PINNEBERG Was soll ich nur tun –? Ich kann doch nicht... Und die andern würden es bestimmt nicht machen! Also –? Aber ich will nicht lumpig sein, ich will mich nicht vor mir schämen müssen. – Wenn doch Lämmchen da wäre! Wenn ich die fragen könnte! Lämmchen ist so grade, die weiß genau, was man verantworten kann vor sich, ohne Gewissensbisse... *Er stürzt zum Bürofenster, er starrt auf den Marktplatz* Liebes Lämmchen! Gutes Lämmchen! Ich bitte dich, komm jetzt vorbei!

Marie Kleinholz kommt herein mit einem Wäschekorb.

MARIE Der Tisch!

PINNEBERG Einen Augenblick nur! Bitte um Entschuldigung, wird gleich bereit sein.

MARIE Trödeln Sie sich aus, Mensch. Ich steh hier mit meiner Wäsche.

PINNEBERG Einen Augenblick noch.

MARIE Augenblick... Augenblick... Das hätte längst gemacht sein können. Aber freilich, zum Fenster nach den Flittchen raussehen...

Marie packt ihren Stoß Wäsche auf den frei gewordenen Tisch.

MARIE Ein Dreck ist das! Grade reingemacht und wieder alles dreckig. Wo haben Sie's Staubtuch?

PINNEBERG Weiß nicht.

MARIE Jeden Sonnabend abend hänge ich ein frisches Staubtuch her, und am Montag ist es schon weg. Es muß doch einer direkt die Staubtücher klauen.

PINNEBERG Das verbitt ich mir.

MARIE Was verbitten Sie sich? Gar nichts verbitten Sie sich. Hab ich was gesagt, daß Sie die Staubtücher klauen? Einer hab ich gesagt. Ich glaub gar nicht, daß solche Mädchen Staubtücher anfassen, das ist viel zu gewöhnliche Arbeit für solche.

PINNEBERG Hören Sie, Fräulein Kleinholz... Ach was!
Er setzt sich an seinen Platz zum Arbeiten.

MARIE Ist auch besser, Sie sind still. Sich auf offener Straße mit so einer abzuknutschen... Ich hab wenigstens nur die Knutscherei gesehen, was sonst noch war... Ich red nur von dem, was ich verantworten kann...

PINNEBERG *nimmt sich zusammen, schweigt.*

MARIE Schrecklich gewöhnlich sah die Person aus. So aufgedonnert. – Vater sagt, er hat sie schon in der Palmengrotte gesehen, da war sie Kellnerin. – Na, manche Herren lieben das Gewöhnliche, das reizt sie grade, sagt Vater. – Sie tun mir leid, Herr Pinneberg.

PINNEBERG Und Sie mir auch.
Ziemlich lange Pause. Marie ist etwas verblüfft.

MARIE Wenn Sie hier frech zu mir werden, Herr Pinneberg, sage ich es Vatern. Der schmeißt Sie gleich raus.

PINNEBERG Wieso frech? Ich hab genau das gesagt, was Sie gesagt haben.
Stille. Plötzlich stößt Marie einen Schrei aus. Triumphierend stürzt sie zum Fenster.

MARIE Da geht sie ja! Da geht sie ja, die olle Schneppe! Gott! Wie die gemalt ist! Da kann man sich ja schütteln vor Ekel!
Pinneberg steht auf, sieht hinaus. Er steht und starrt auf

Lämmchen, bis sie um die Ecke ist. Er dreht sich um und geht auf Fräulein Kleinholz zu.

PINNEBERG Hören Sie, Fräulein Kleinholz. Hören Sie, Fräulein Kleinholz, wenn Sie so was noch einmal sagen, schlage ich Ihnen ein paar in Ihre Schandschnauze. Halten Sie das Maul! Das ist meine Frau, verstehen Sie das!!!! Und Sie können froh sein, wenn Sie je in Ihrem Leben eine halb so anständige Frau werden, wie die!

Marie setzt sich auf einen Stuhl, legt den Kopf auf die Tischkante und fängt an zu weinen.

PINNEBERG O Gott, so schlimm war es nun auch wieder nicht gemeint, Fräulein Kleinholz.

MARIE Ich kann doch nichts dafür, wenn ich so bin. Ich hab Sie immer für einen grundanständigen Kerl gehalten, ganz anders wie Ihre Kollegen. Sind Sie ganz richtig verheiratet? Ach so, ohne Kirche. Dem Vater sag ich bestimmt nichts, ängstigen Sie sich nicht. Ist »Ihre« von hier? So sieht sie nicht aus. Was ich vorhin gesagt hab, das hab ich nur gesagt, um Sie zu ärgern, sie sieht sehr gut aus.

FRAU KLEINHOLZ *von draußen* Wo bleibste denn mit der Wäsche, Marie?! Wir wollen doch rollen!

MARIE Ach Gott!

Sie reißt ihre Wäsche zusammen und stürzt hinaus.

PINNEBERG Hosianna, gelobt sei mein Lämmchen, einen Monat haben wir wieder sicher.

KLEINHOLZ Ich druckse hin und druckse her, Pinneberg. Am liebsten behielte ich Sie ja und ließe einen von den andern laufen. Aber daß Sie mir am Sonntag die Futterausgabe zugedacht haben, bloß damit Sie sich mit Ihren Weibern amüsieren, das kann ich Ihnen nicht verzeihen und darum will ich Ihnen kündigen.

PINNEBERG Herr Kleinholz –! Herr Kleinholz, ich ...

KLEINHOLZ *sieht Lämmchen draußen auf der Straße* Verdammich, da ist das Frauenzimmer ja schon wieder! Sie sind zum 31. Oktober gekündigt, Herr Pinneberg!

Kleinholz ab. Pinneberg seufzt tief auf und sieht auf die Uhr. Er stürzt über den Hof zu Lauterbach.

PINNEBERG Lauterbach, sofort zu Kleinholz und kündigen!

Denk an dein Ehrenwort. Er hat mir eben gekündigt.

LAUTERBACH Erstens ist es eine Minute vor zwölf und bis zwölf kann ich nicht mehr kündigen, und zweitens müßte ich ja auch erst mit Schulz sprechen und der ist nicht da. Und drittens habe ich vorhin von Mariechen gehört, daß du verheiratet bist, und wenn das wahr ist, bist du schön hinterlistig zu uns Kollegen gewesen. Und viertens...

Die Turmuhr schlägt langsam Zwölf.

18. Die Wohnung Pinneberg

LÄMMCHEN Ich habe heute im Delikatessengeschäft einen Räucherlachs gesehen, so saftig und rosarot, wenn wir den hätten!

PINNEBERG Warum hast du ihn denn nicht mitgebracht?

LÄMMCHEN Aber was denkst du, was der kostet!

PINNEBERG Was kostet er denn?

LÄMMCHEN Viel zu teuer, wo du jetzt keine Stellung mehr hast.

PINNEBERG Ich werd schon wieder was finden, Lämmchen.

LÄMMCHEN Ich glaube, das ist wegen dem Murkel, daß mir alles widersteht.

PINNEBERG Was kostet er denn?

LÄMMCHEN Es war beim Barnikol, in dem Delikatessengeschäft. Eine Mark zwanzig das Achtel.

PINNEBERG Ich geh ihn holen.

LÄMMCHEN Kein Gedanke! Da geh ich schon selbst.

PINNEBERG Da mußt du doch so weit laufen, Lämmchen.

LÄMMCHEN Und ich soll hier solange sitzen in Bange, du kaufst den falschen! Das muß ich doch sehen, wie die das absäbeln.

PINNEBERG Nun Gut. Gehst du.

LÄMMCHEN Und wieviel?

PINNEBERG Ein Achtel. Nein bring schon ein Viertel. Wenn wir doch einmal so üppig sind.

Lämmchen ab.

Pinneberg putzt Fenster und singt und pfeift.

Es klingelt. Pinneberg macht auf: Im Türrahmen steht Lämmchen, in Tränen aufgelöst.

PINNEBERG Aber, mein Gott, Lämmchen, was ist denn los? Hast du den Lachs aus dem Papier verloren?

LÄMMCHEN Aufgegessen, alles allein aufgegessen!

PINNEBERG Du hast ihn so aus dem Papier gegessen? Ohne Brot? Das ganze Viertel? Aber Lämmchen!

LÄMMCHEN Aufgegessen, alles allein aufgegessen!

PINNEBERG Aber nun komm her, Lämmchen, erzähl doch. Komm rein, deshalb brauchst du doch nicht zu weinen. Erzähl mal der Reihe nach. Also du hast den Lachs gekauft...

LÄMMCHEN Ja, und ich hatte solche Gier darauf. Ich konnte es gar nicht mit ansehn, wie sie abschnitt und abwog. Und kaum war ich draußen, da ging ich in den nächsten Torweg und nahm schnell eine Scheibe – und weg war sie.

PINNEBERG Und weiter?

LÄMMCHEN Ja, Jungchen, das hab ich den ganzen Weg gemacht, immer, wenn ein Torweg kam, habe ich mich nicht halten können und bin rein. Und zuerst habe ich dich auch nicht beschupsen wollen, ich hab genau geteilt, halb und halb... Aber dann habe ich gedacht, auf eine Scheibe kommt es ihm auch nicht an. Und dann hab ich immer weiter von deinem gegessen, aber ein Stück, das habe ich dir gelassen, das hab ich mit raufgebracht, bis hier auf den Vorplatz, bis hier vor die Tür...

PINNEBERG Und dann hast du es doch gegessen?

LÄMMCHEN Ja, dann habe ich es doch gegessen, und es ist so schlecht von mir, nun hast du gar keinen Lachs, Jungchen. Aber es ist nicht Schlechtigkeit von mir, es ist mein Zustand. Ich bin nie gierig gewesen. Und ich bin schrecklich traurig, wenn der Murkel nun auch so gierig wird. Und... und soll ich nun nochmal schnell in die Stadt laufen und dir noch Lachs holen? Ich bring ihn, wahr und wahrhaftig, ich bring ihn her.

PINNEBERG Ach du großes kleines Ding. Du kleines großes Mädchen, wenn es nichts Schlimmeres ist.

19. Vorm Arbeitsamt

Pinneberg wartet in einer Schlange.

LÄMMCHEN *kommt* Junge, Junge, ich bin so irrsinnig glücklich. Wir haben 'ne Stellung. Da lies!

PINNEBERG *liest* »Liebe Schwiegertochter, genannt Lämmchen. Was für ein Unsinn, daß der Junge, den ich so gut
habe ausbilden lassen, in Düngemitteln arbeitet! Er soll
sofort hierherkommen und am ersten Oktober eine Stellung im Warenhaus von Mandel antreten, die ich ihm besorgt habe. Für den Anfang wohnt ihr bei mir. Gruß, Eure
Mama. Nachschrift: Bitte, telegraphiert, wann ihr
kommt.«

LÄMMCHEN O Jungchen, Jungchen, was bin ich glücklich!
Du hast eine Stellung bei Mandel.

PINNEBERG Ja, mein Mädchen. Ja, meine Süße. Ich ja auch.
Trotzdem Mama, mit ihrer Ausbildung... Na ja, ich will
jetzt nichts sagen. Geh gleich hin und telegraphiere.

EIN MANN NEBEN PINNEBERG Mandel? Natürlich Juden.

EIN ANDERER Mandel? Passen Sie man auf, daß das auch 'ne
anständige Firma ist. Ich an Ihrer Stelle würde mich erst
mal erkundigen.

20. Revue: Abreise nach Berlin

*Die Revuegirls stellen einen D-Zug dar, der vom Bahnhof
abfährt. Sie nehmen Lämmchen und Pinneberg mit.*

Pause

21. Bahnhof Berlin Friedrichstraße.

MIA Gott sei Dank... der Zug. Guten Tag, siehst glänzend
aus, mein Junge. Kohlenhandel scheint 'ne gesunde Be-
schäftigung. *Pinneberg wehrt ab* Du hast nicht mit Kohlen
gehandelt? Warum schreibst du es mir dann? Ja, gib mir

ruhig einen Kuß, mein Lippenstift ist kußecht. Du auch, Lämmchen. Dich hab ich mir nun allerdings ganz anders vorgestellt.

Sie hält Lämmchen in Armeslänge von sich.

LÄMMCHEN Nun, Mama, was hattest du denn gedacht?

MIA Ach, weißt du, vom Lande und Emma heißt du und Lämmchen nennt er dich... Ihr sollt ja da hinten noch Flanellunterwäsche tragen. Nein, Hans wie du das fertiggebracht hast, dies Mädchen und Lämmchen... Eine Walküre ist das, hohe Brust und stolzer Sinn... O Gott, nun werde bloß nicht rot, sonst denk ich gleich wieder: Ducherow.

LÄMMCHEN Aber gar nicht werde ich rot. Natürlich habe ich 'ne hohe Brust. Und einen stolzen Sinn habe ich auch. Heute besonders. Berlin! Mandel! Und so 'ne Schwiegermutter! Nur Flanell, Flanell hab ich nicht.

MIA Ja, apropos Flanell – wie ist es denn mit euern Sachen? Am besten laßt ihr sie durch die Paketfahrt kommen. Oder habt ihr Möbel?

LÄMMCHEN Möbel haben wir noch nicht, Mama. Zum Möbelanschaffen sind wir noch nicht gekommen.

MIA Eilt auch nicht. Ihr kriegt bei mir ein fürstlich möbliertes Zimmer. Ich sage euch: kuschlig. Geld ist besser als Möbel. Hoffentlich habt ihr recht viel Geld.

PINNEBERG Woher denn? Woher sollen wir denn was haben? Was zahlt Mandel denn?

MIA Wer? Mandel?

PINNEBERG Na, das Warenhaus Mandel, wo ich die Stellung habe.

MIA Habe ich Mandel geschrieben? Das wußte ich gar nicht mehr. Mußt du heute abend mal mit Jachmann sprechen. Der weiß das alles.

PINNEBERG Jachmann –? Und wer ist Jachmann?

MIA Jachmann? Jachmann, das ist mein augenblicklicher Liebhaber, mit dem geh ich schlafen. Das ist dein augenblicklich stellvertretender Vater, mein Sohn Hans, vor dem hast du Ehrfurcht zu haben.

22. Salon bei Mia

JACHMANN Wen haben wir denn da?

MIA Reizend, Jachmann. Da stehst du und starrst, ich müßte
das eigentlich anstreichen, wie oft du stehst und starrst.
Wo ich dir ausdrücklich erzählt habe, ich erwarte meinen
Sohn und meine Schwiegertochter.

JACHMANN Kein Wort hast du mir erzählt, Pinneberg, kein
Wort. Höre zum ersten Male, daß du einen Sohn hast.
Und nun auch noch eine Schwiegertochter.

Lämmchen bekommt den ersten Handkuß ihres Lebens.

JACHMANN Gnädige Frau, ich bin entzückt.

MIA Du redest, Jachmann. Du bändelst an, und du behaup-
test, ich hätte dir nie von meinem Sohn erzählt. Und dabei
hast du diesem meinem Sohn eine Stellung bei Mandel
besorgt, selbst, höchstpersönlich, zum ersten Oktober an-
zutreten, was morgen ist. So bist du, Jachmann.

JACHMANN Ich? Ausgeschlossen! Ich mach so was nie, Stellung besorgen in den heutigen Zeiten. Pinneberg, das
bringt nur Kummer.

MIA O Gott! Was für ein Mann! Und dabei hast du mir gesagt, die Sache ist perfekt, ich soll ihn kommen lassen.

JACHMANN Aber du irrst dich, Pinneberg, du ganz allein. Ich
habe vielleicht mal davon gesprochen, daß sich womöglich was machen ließe, mir schwebt dunkel so was vor, von
Sohn hast du aber bestimmt nichts gesagt. Sohn, das Wort
habe ich noch nie von dir gehört.

MIA So.

JACHMANN Daß ich etwas von perfekt gesagt haben soll – ich
bin so minutiös in meinen Geschäften, ich bin der ordent-
lichste Mensch in der Welt. Ich bin erst vorgestern mit
Lehmann von Mandel zusammen gewesen – das ist ja der
Personalchef – der hätte mir doch ein Wort gesagt.

PINNEBERG Mama, soll das heißen, daß du uns aus Ducherow hast kommen und das viele Reisegeld hast ausgeben
lassen, bloß auf einen blauen Dunst hin? Bloß weil
du dein Fürstenbett gerne für hundert Mark vermietet
hättest?

LÄMMCHEN Junge!

PINNEBERG Wir sind arme Leute, Lämmchen und ich, wahrscheinlich kriege ich hier nicht mal Arbeitslosenunter-
stützung und was – was? – was in aller Welt sollen wir jetzt
tun?

MIA Nun, nun, nun. Weine man bloß nicht. Zurückfahren
nach Ducherow könnt ihr immer noch. Und das habt ihr
ja gehört, und du auch, Lämmchen, daß ich an der ganzen
Sache unschuldig bin, daß das wieder dieser Mensch, der
Jachmann verbummelt hat.

LÄMMCHEN Herr Jachmann! Hören Sie einen Augenblick
zu. Sehen Sie, für Sie ist das gar nichts, daß wir keine Stellung haben. Sie können sich wahrscheinlich immer helfen,
Sie sind viel klüger als wir . . .

JACHMANN Hörst du, Pinneberg.

LÄMMCHEN Aber wir sind ganz einfache Menschen. Und wir
sind sehr unglücklich, wenn mein Junge keine Stellung
hat. Und darum bitte ich Sie, wenn Sie's können, dann tun
Sie's, dann besorgen Sie uns eine.

JACHMANN Kleine junge Frau wissen Sie, ich mach es, ich
besorg Ihrem Jungen da 'ne Stellung. Was soll's denn
sein? Wieviel muß er denn verdienen, damit Sie leben
können?

MIA Aber das weißt du doch alles ganz gut. Verkäufer bei
Mandel. Herrenkonfektion.

JACHMANN Bei Mandel? Mögen Sie denn das in so einer
Knochenmühle? Außerdem glaub ich nicht, daß er da
mehr als fünfhundert monatlich kriegt.

MIA Du bist verrückt. Verkäufer mit fünfhundert! Zweihundert. Zweihundertfünfzig höchstens.

JACHMANN Also! Dann lassen Sie doch den Quatsch. Nee,
wissen Sie, ich werde mal mit dem Manasse reden, wir
machen Ihnen einen feinen kleinen Laden auf im alten
Westen, irgend was ganz Ausgefallenes, auf das kein
Mensch kommt. Ich gründe Sie, junge Frau, ich gründe
Sie groß.

MIA Nun höre schon auf. Von deinen Gründungen habe ich
wirklich die Nase voll.

Szenenfoto aus der Uraufführung im Schauspielhaus Bochum

LÄMMCHEN Nur die Stellung, Herr Jachmann, nur die Stellung zu Tarifgehalt.

JACHMANN Wenn's weiter nichts ist! So was habe ich schon hundertmal eingerenkt. Also bei Mandel.

23. Personalbüro Mandel

Fünf Girls machen eine Schreibmaschinenpantomime.

PINNEBERG Ach, bitte, Fräulein...

FRÄULEIN IN GRÜNER BLUSE Bittä!

PINNEBERG Ich möchte gern Herrn Lehmann sprechen.

FRÄULEIN Schild draußen!

PINNEBERG Wie?

FRÄULEIN Schild draußen!!

PINNEBERG Ich versteh nicht, Fräulein.

FRÄULEIN Lesen Sie's Schild draußen, Bewerbungen zwecklos.

PINNEBERG Habe ich gelesen. Ich bin aber zu Herrn Lehmann bestellt, Herr Lehmann erwartet mich.

FRÄULEIN Zettel! Zettel sollen Sie ausfüllen!

Pinneberg füllt einen Zettel aus.

PINNEBERG Bitte, Fräulein.

FRÄULEIN Legen Sie'n hin.

Pinneberg wartet.

PINNEBERG Fräulein, ich glaube, Herr Lehmann wartet auf mich.

Keine Antwort.

PINNEBERG Fräulein bitte!

FRÄULEIN Schschsch...

Nach einer Weile kommt ein Kontorbote in grauer Uniform herein.

FRÄULEIN Zettel!

Der Bote nimmt den Zettel, liest ihn, betrachtet Pinneberg, und verschwindet. Der Bote erscheint wieder.

BOTE Herr Lehmann läßt bitten!

Bote führt Pinneberg durch die Schranke, über einen Gang in ein Zimmer.

24. Lehmanns Vorzimmer

ÄLTLICHE DAME Setzen Sie sich bitte, Herr Lehmann ist noch beschäftigt.

Pinneberg setzt sich. Das Telefon schnarrt. Das ältliche Fräulein nimmt eine Akte, legt den Brief hinein, das Telefon schnarrt, wieder die Schiene hinein, die Akte ins Fach, das Telefon schnarrt. Das Fräulein nimmt den Hörer und sagt mit leidender Stimme:

ÄLTLICHE DAME Hier das Personalbüro. Ja, Herr Lehmann ist da. – Wer möchte ihn sprechen? Herr Direktor Kußnick? – Ja bitte, wollen Sie Herrn Direktor Kußnick an den Apparat rufen? Ich verbinde dann mit Herrn Lehmann.

Kleine Pause. Vornüber lauscht das Fräulein in den Apparat, sie scheint den Partner am andern Ende der Strippe gewissermaßen zu sehen.

ÄLTLICHE DAME Ich bedaure, Fräulein, ich darf Herrn Lehmann erst verbinden, wenn der Anrufer am Apparat ist.

Horchpause.

ÄLTLICHE DAME *etwas schärfer* Sie dürfen Herrn Direktor Kußnick erst verbinden, wenn Herr Lehmann am Apparat ist?

Pause.

ÄLTLICHE DAME *stolz* Ich darf Herrn Lehmann erst verbinden, wenn Herr Direktor Kußnick am Apparat ist.

Nun geht es rascher, der Ton wird schärfer.

ÄLTLICHE DAME Bitte, Fräulein, Sie haben angerufen! – Nein, Fräulein, ich habe meine Vorschriften. – Bitte, Fräulein, ich habe für so was keine Zeit. – Bitte, Fräulein, sonst hänge ich ab. – Nein, Fräulein, das habe ich oft genug erlebt, nachher spricht Ihr Herr auf einem andern Apparat, Herr Lehmann kann nicht warten.

Sanfter Ja, Fräulein, ich sagte Ihnen doch, Herr Lehmann ist hier. Ich verbinde dann sofort.

Pause. Dann ganz andere Stimme, leidend, sanft.

Herr Direktor Kußnick? – Ich verbinde mit Herrn Lehmann.

Hebeldrückend, im Flüsterton.
Herr Lehmann, Herr Direktor Kußnick ist am Apparat.
– Wie bitte?
Sie horcht mit ihrem ganzen Körper.
Jawohl, Herr Lehmann.
Drückt den Hebel.
Herr Direktor Kußnick? Ich höre eben, daß Herr Leh-
mann zu einer Besprechung gegangen ist. Nein, ich kann
ihn nicht erreichen. Er ist momentan nicht im Hause.
Nein, Herr Direktor, ich habe nicht gesagt, daß Herr Lehmann hier ist, da muß sich Ihre Dame irren. Nein, ich kann
nicht sagen, wann Herr Lehmann zurückkommt. Bitte,
nein, so was habe ich nicht gesagt, da irrt sich Ihre Dame.
Guten Morgen.
*Sie hängt ab. Sie ist weiter leidend, scheint Pinneberg aber
etwas aufgekratzter als sie nun weiter Blätter in Personal-
akten ablegt.*
PINNEBERG *zum Publikum* Scheint ihr gut zu tun, so ein bißchen Stunk. Freut sich wohl, wenn die Kollegin bei Kuß-
nick ein bißchen was aufs Dach kriegt. Hauptsache, sie
sitzt sicher.
Das Telefon schnarrt zweimal scharf.
ÄLTLICHE DAME Ja, bitte, Herr Lehmann? Jawohl. Sofort.
Zu Pinneberg.
Herr Lehmann läßt bitten.
Sie öffnet die braune gepolsterte Tür vor ihm.

25. Lehmanns Büro

PINNEBERG Guten Morgen.
*Herr Lehmann faßt den Mammutbleistift, stellt ihn senk-
recht. Pinneberg wartet.*
LEHMANN Sie wünschen?
PINNEBERG Ich ... ich dachte, Herr Jachmann ...
LEHMANN Herr Jachmann geht mich gar nichts an. Was Sie
wollen, will ich wissen.
PINNEBERG Ich bitte um die Stellung eines Verkäufers.

LEHMANN Wir stellen niemanden ein. – Und was ist noch?

PINNEBERG Vielleicht später?

LEHMANN Bei so 'ner Konjunktur?

Stille

LEHMANN Zeigen Sie mal Ihre Zeugnisse her.

Pinneberg breitet zitternd seine Zeugnisse aus. Herr Lehmann liest sie sehr langsam, sehr ungerührt. Dann schaut er hoch, er scheint nachzudenken.

LEHMANN Tja, Düngemittel führen wir nicht.

PINNEBERG Ich dachte auch... eigentlich Herrenkonfektion... das war nur zur Aushilfe...

LEHMANN Nein, Düngemittel führen wir nicht. Auch nicht Kartoffeln. Wo haben Sie denn Ihre Angestelltenversicherungskarte?

Pinneberg legt die grüne Karte hin, Herr Lehmann betrachtet sie lange.

LEHMANN Und Ihre Lohnsteuerkarte?

Pinneberg gibt auch die hin und auch sie wird genau gemustert. Dann ist wieder Pause.

LEHMANN Also, wir stellen keine neuen Kräfte ein. Wir dürfen es gar nicht. Denn wir bauen die alten ab! Immerhin dürfen wir Kräfte aus unsern Filialen übernehmen. Besonders tüchtige Kräfte. Sie sind doch eine tüchtige Kraft?

Pinneberg flüstert etwas.

LEHMANN Sie, Herr Pinneberg, werden aus unserer Filiale in Breslau übernommen. Sie kommen aus Breslau, nicht wahr?

Pinneberg flüstert.

LEHMANN Auf der Abteilung Herrenkonfektion, wo sie arbeiten werden, stammt zufällig keiner der Herren aus Breslau, nicht wahr?

Pinneberg murmelt.

LEHMANN Gut, Sie fangen morgen früh an. Sie melden sich um acht Uhr dreißig bei Fräulein Semmler, hier nebenan. Sie unterschreiben dann den Vertrag und die Hausordnung, und Fräulein Semmler sagt Ihnen Bescheid. Guten Morgen.

PINNEBERG Guten Morgen.

LEHMANN Grüßen Sie Ihren Herrn Vater bestens, sagen Sie Ihrem Herrn Vater, ich habe Sie engagiert. Sagen Sie Holger, am Mittwoch abend wäre ich frei. Guten Morgen, Herr Pinneberg.

26. Arbeitslosigkeit

Prospekt: Parlament. In allen Fenstern Abgeordnete in beschwörenden Posen.

PINNEBERG Die wollen alle was von mir, *für* mich wollen sie doch nichts. Ob ich verrecke oder nicht, das ist ihnen ja egal, ob ich ins Kino kann oder nicht, das ist ihnen schnuppe, ob Lämmchen sich jetzt anständig ernähren kann oder zu viel Aufregungen hat, ob der Murkel glücklich wird oder elend – wen kümmert das was?

Und die, die hier alle stehen im Kleinen Tiergarten, ein richtiger kleiner Tiergarten, die ungefährlichen, ausgehungerten, hoffnungslos gemachten Bestien des Proletariats, denen geht's wenigstens nicht anders. Drei Monate Arbeitslosigkeit und ade rotbrauner Ulster! Ade Vorwärtskommen! Vielleicht verkrachen sich am Mittwochabend Jachmann und Lehmann und plötzlich tauge ich nichts. Ade! Das sind die einzigen Gefährten, diese hier, sie tun mir zwar auch was, sie nennen mich feiner Pinkel und Stehkragenprolet, aber das ist vorübergehend. Ich weiß am besten, was das wert ist. Heute, nur heute, verdiene ich noch, morgen, ach, morgen, stemple ich doch . . .

Vielleicht ist das noch zu neu mit Lämmchen, aber wenn man hier so steht und sieht die Menschen an, dann denkt man kaum an sie, man wird ihr auch von diesen Dingen nichts erzählen können. Das versteht sie nicht. Wenn sie auch sanft ist, sie ist viel zäher als ich, sie würde hier nicht stehen, sie ist in der SPD und im Afa-Bund gewesen, aber nur, weil ihr Vater da war, sie gehört eigentlich in die KPD. Sie hat so ein paar einfache Begriffe, daß die meisten Menschen nur schlecht sind, weil sie schlecht gemacht werden, daß man niemanden verurteilen soll, weil

58

man nie weiß, was man selber täte, daß die Großen immer
denken, die Kleinen fühlten es nicht so – solche Sachen
hat sie in sich, nicht ausgedacht, die sind in ihr. Sie hat
Sympathien für die Kommunisten. Und darum kann man
Lämmchen nichts erzählen.

27. In der Herrenkonfektionsabteilung bei Mandel

*Es kommt eine dicke Dame, eine dünne Dame, beide in den
dreißigern, eine ältere Dame und ein Herr, Schnurrbart,
blaßblaue Augen, Eierkopf. Pinnebergs Kollege Kessler
drückt sich.*

PINNEBERG Was steht bitte zu Diensten, meine Herrschaften?

DIE DÜNNE DAME Mein Mann möchte einen Abendanzug.
Bitte, Franz, sag doch dem Verkäufer selbst, was du
willst.

FRANZ Ich möchte...

DIE DICKERE DAME Aber Sie scheinen ja nichts wirklich Vornehmes zu haben.

DIE ÄLTERE DAME Ich habe euch gleich gesagt, geht nicht zu
Mandel. Mit so was muß man zu Obermeyer.

FRANZ ...einen Abendanzug haben.

PINNEBERG Einen Smoking?

*Er versucht die Frage gleichmäßg zwischen den drei Da-
men aufzuteilen und doch auch den Herrn nicht zu kurz
kommen zu lassen.*

ALLE DREI DAMEN Smoking!

DIE DÜNNERE DAME Einen Smoking hat mein Mann natürlich. Wir möchten einen Abendanzug.

FRANZ Ein dunkles Jackett.

DIE DICKERE DAME Mit gestreiftem Beinkleid.

PINNEBERG Bitte schön.

DIE ÄLTERE DAME Bei Obermeyer hätten wir jetzt schon das
Passende.

Pinneberg nimmt ein Jackett in die Hand.

DIE ÄLTERE DAME Was könnt Ihr denn hier anders erwarten?

FRANZ Ansehen kann man sich's jedenfalls. Das kostet nichts. Zeigen Sie mir immer, junger Mann.

DIE DÜNNERE DAME Probier das mal an, Franz!

FRANZ Aber Else, ich bitte dich! Dies Jackett...

DIE DÜNNERE DAME Nun, was meinst du, Mutter –?

DIE ÄLTERE DAME Ich sage gar nichts, fragt mich nicht, ich sage nichts. Nachher habe ich den Anzug ausgesucht.

Franz läßt sich in das Jackett helfen.

PINNEBERG Wenn der Herr die Schulter etwas anheben wollte?

DIE DÜNNERE DAME Daß du die Schultern nicht anhebst! Mein Mann läßt immer die Schultern hängen. Dafür muß es eben unbedingt passend sein.

DIE DICKERE DAME Dreh dich mal um, Franz.

FRANZ Nein, ich finde, das ist ganz unmöglich.

DIE DÜNNERE DAME Bitte, Franz, rühr dich etwas, du stehst da wie ein Stock.

Pinneberg zeigt ein anderes Jackett.

DIE DICKERE DAME Das ginge vielleicht eher.

DIE ÄLTERE DAME Warum ihr euch hier bei Mandel quält...?

DIE DÜNNERE DAME Sagen Sie, soll mein Mann ewig in diesem einen Jackett rumstehen? Wenn wir hier nicht bedient werden...

DIE DICKERE DAME Wenn wir vielleicht dies Jackett ausprobieren dürften...

DIE DÜNNERE DAME Bitte, Franz.

FRANZ Nein, das Jackett will ich nicht, das gefällt mir nicht.

DIE DÜNNERE DAME Wieso gefällt dir denn das nicht? Das finde ich sehr nett.

FRANZ Fünfundfünfzig Mark. Ich mag es nicht, die Schultern sind viel zu wattiert.

DIE DÜNNERE DAME Wattiert mußt du haben, bei deinen hängenden Schultern.

DIE ÄLTERE DAME Saligers haben einen entzückenden Abendanzug für vierzig Mark. Mit Hosen. Und hier soll ein Jackett...

DIE DÜNNERE DAME Sehen Sie, junger Mann, der Anzug soll was hermachen. Wenn wir hundert Mark ausgeben sollen, können wir auch zum Maßschneider gehen.

FRANZ Nein, nun möchte ich doch endlich einmal ein passendes Jackett sehen.

PINNEBERG *bringt das dritte Jackett* Wie gefällt Ihnen dies, gnädige Frau?

DIE DICKERE DAME Der Stoff scheint sehr leicht zu sein.

PINNEBERG Gnädige Frau sehen alles. Der Stoff fällt wirklich etwas leicht aus. *Zeigt das vierte Jackett* Und dies?

DIE DÜNNERE DAME Das geht schon eher. Ist das reine Wolle?

PINNEBERG Reine Wolle, gnädige Frau. Und Steppfutter, wie Sie sehen.

DIE DICKERE DAME Das gefällt mir.

DIE DÜNNERE DAME Ich weiß nicht, Else, wie dir das gefallen kann. Sag du mal, Franz!

DIE ÄLTERE DAME Ihr seht doch, daß die Leute hier nichts haben. Kein Mensch kauft bei Mandel.

DIE DÜNNERE DAME Probier doch mal über, Franz.

FRANZ Nein, ich probier nichts mehr über, ihr macht mich doch bloß schlecht.

Zieht das Jackett aus und bleibt trotzig im Hemd stehen.

DIE DÜNNERE DAME Was soll denn das wieder heißen, Franz? Willst du einen Abendanzug haben oder ich?

FRANZ Du!

DIE DÜNNERE DAME Nein, du willst ihn.

FRANZ Du hast gesagt, der Saliger hat einen, und ich mache mich einfach lächerlich mit meinem ewigen Smoking.

PINNEBERG *eilt mit dem fünften Jackett herbei* Dürfte ich der gnädigen Frau noch dies zeigen? Ganz diskret, etwas sehr Vornehmes.

DIE DICKERE DAME Das finde ich wirklich ganz nett. Was kostet es?

PINNEBERG Allerdings sechzig. Aber es ist auch etwas ganz Exklusives. Gar nichts für die Masse.

DIE DICKERE DAME Sehr teuer.

DIE DÜNNERE DAME Else, du fällst doch auf alles rein! Das hat er uns ja schon mal gezeigt.

DIE DICKERE DAME Mein liebes Kind, so schlau wie du bin ich

61

auch. Also Franz, ich bitte dich, probiere es noch einmal an.

FRANZ Nein. Ich will überhaupt keinen Anzug. Wo du sagst, ich will ihn.

DIE DÜNNERE DAME Aber ich bitte dich, Franz...

DIE ÄLTERE DAME In der Zeit hätten wir bei Obermeyer zehn Anzüge gekauft.

DIE DÜNNERE DAME Also, Franz, jetzt ziehst du das Jackett an.

DIE ÄLTERE DAME Er hat es doch schon angehabt.

DIE DÜNNERE DAME Nicht dies!

DIE ÄLTERE DAME Doch!

FRANZ Also, jetzt gehe ich, wenn ihr euch hier streiten wollt.

DIE DÜNNERE DAME Ich gehe auch. Else will wieder um jeden Preis ihren Willen durchsetzen.

Aufbruchstimmung. Die Jacketts werden hierhin geschoben, dorthin gezerrt.

DIE ÄLTERE DAME Bei Obermeyer!

DIE DÜNNERE DAME Nun bitte ich dich, Mutter!

FRANZ Also gehen wir zu Obermeyer.

DIE ÄLTERE DAME Aber sagt bitte nicht, daß ich euch dahin gelotst habe.

DIE DÜNNERE DAME Natürlich hast du!

DIE ÄLTERE DAME Nein, ich...

Vergebens hat Pinneberg versucht, zu Wort zu kommen. Nun, in der höchsten Not, wirft er einen Blick um sich, er sieht Heilbutt, es ist ein Hilfeschrei.

PINNEBERG Bitte, Ihr Jackett, mein Herr.

Er zieht dem Herrn das strittige Sechzigmark-Jackett an.

PINNEBERG Ich bitte um Verzeihung, ich habe mich versehen. Wie Sie das kleidet...

DIE DÜNNERE DAME Ja, Else, wenn du das Jackett...

DIE DICKERE DAME Ich habe immer gesagt, dies Jackett!

DIE DÜNNERE DAME Nun, sage du mal, Franz!

DIE DICKERE DAME Was kostet dies Jackett?

PINNEBERG Sechzig Mark, gnädige Frau.

DIE ÄLTERE DAME Aber für sechzig, Kinder, ich finde das ja Wahnsinn. Bei den heutigen Zeiten, sechzig! Wenn man schon durchaus bei Mandel kauft...

HEILBUTT *greift ein:* Die Herrschaften haben gewählt? Unser elegantestes Abendjackett.

Stille. Die Damen sehen auf Heilbutt.

HEILBUTT Es ist ein wertvolles Stück.

Er verneigt sich und geht weiter, entschwindet.

DIE ÄLTERE DAME Für sechzig Mark kann man aber auch was verlangen!

DIE DICKERE DAME Gefällt es dir denn auch, Franz? Auf dich kommt es doch schließlich an.

FRANZ Na ja...

DIE DICKERE DAME Wenn wir nun auch passende Beinkleider...

PINNEBERG Das ist nicht tragisch.

Er sucht die Hose. Sie wird genommen. Pinneberg verbeugt sich, die Herrschaften ab.

PINNEBERG *zu Heilbutt* Danke, Sie haben den Tippel gerettet, Heilbutt.

28. Revue: Heilbutt verrät sein Erfolgsrezept

Girls als Kunden, als Verkäufer, als Ganoven, als Feuerwehr.

HEILBUTT *singt und tanzt:*
Geht mal was schief, dann
machen viele Stank,
mancher singt Lieder,
manche werden krank.
Ich mach was anderes,
drückt einmal der Schuh,
wenn hier was daneben geht
weiß ich was ich tu:
Ich heb meinen Finger
und ich sag:
ziep ziep
schu schu,
na na, komm komm!

Ich dreh alle Dinger
wenn ich sag:
ziep ziep
schu schu
na na, komm komm!

Steck ich einmal bis zum Halse im Dreck,
bin ich dann gelähmt vor Schreck?
Nein!
Ich heb meinen Finger
und ich sag:
ziep ziep,
schu schu,
na na, komm komm!

Sitzt bei 'nem Anzug mal die Hose schlecht,
mach ich die Chose
dem Herrn schon mundgerecht.
Kommt er am nächsten Tag
wütend mit der Frau,
weiß ich, wenn sie schimpfen wird,
eines ganz genau:
Ich heb meinen Finger
und ich sag:
ziep ziep,
schu schu,
na na, komm komm!
Ich dreh alle Dinger
wenn ich sag:
ziep ziep,
schu schu,
na na, komm komm!

Droht sie zornerfüllt mit der Polizei,
krieg ich Angst bei dem Geschrei?
Nein!
Ich heb meinen Finger
und ich sag:

ziep ziep,
schu schu,
na na, komm komm!

Wenn von Ganoven mal der Ruf erschallt:
her die Moneten
oder aber 's knallt!
Sag ich gelassen:
Bitte, keinen Streit!
Wenn sie trotzdem bockig sind
nehm ich mir die Zeit,
ich heb meinen Finger
und ich sag:
ziep ziep,
schu schu,
na na, komm komm!
Ich dreh alle Dinger
wenn ich sag:
ziep ziep,
schu schu,
na na, komm komm!

Drückt mir einer dann den Colt an die Brust,
na, verlier ich dann die Lust?
Nein!
Ich heb meinen Finger
und ich sag:
ziep ziep,
schu schu,
na na, komm komm!

Ist das Kaufhaus mal ein Flammenmeer
und es brennt weiter
trotz der Feuerwehr,
prüf ich den Wind
und schau den Flammen zu.
Kommt das Feuer mir zu nah,
weiß ich, was ich tu:

Ich heb meinen Finger
und ich sag:
ziep ziep,
schu schu,
na na, komm komm!
Ich dreh alle Dinger
wenn ich sag:
ziep ziep,
schu schu,
na na, komm komm!

Wenn der Rauch mich auch beinah erstickt,
wird davon mein Mut geknickt?
Nein!
Ich heb meinen Finger
und ich sag:
ziep ziep,
schu schu,
na na, komm komm!

29. Herrenkonfektionsabteilung

HEILBUTT Sie hätten schon so keine Pleite geschoben. Sie
nicht, Sie sind doch der geborene Verkäufer, Pinneberg.

PINNEBERG Finden Sie das wirklich, Heilbutt? Finden Sie
das wirklich, daß ich ein geborener Verkäufer bin?

HEILBUTT Aber das wissen Sie doch selbst, Pinneberg. Ihnen
macht es doch Spaß zu verkaufen.

PINNEBERG Mir machen die Leute Spaß. Ich muß immer da-
hinterkommen, was sie sind und wie man sie nehmen muß
und wie man es drehen muß, daß sie kaufen.

HEILBUTT Na, und warum haben sie den Anzug gekauft, was
meinen Sie, Pinneberg?

PINNEBERG Ja, ich weiß es auch nicht mehr ... Alle haben so
durcheinander geredet ...

Heilbutt lacht.

PINNEBERG Ja, nun lachen Sie, Heilbutt. Ja, nun lachen Sie

mich aus. Aber ich weiß es schon wieder: weil Sie ihnen so imponiert haben.

HEILBUTT Unsinn, vollkommener Unsinn, Pinneberg.

Jänecke kommt heran.

JÄNECKE Nun, meine Herren, ein kleines Palaver? Schon fleißig verkauft? Immer fleißig, die Zeiten sind schwer, und bis so ein Verkäufergehalt rausspringt, da will viel Ware verkauft sein.

HEILBUTT Wir reden gerade, Herr Jänecke, über die verschiedenen Verkäuferarten.

JÄNECKE Ich kenne nur eine Art Verkäufer, die, auf deren Verkaufsblock abends recht hohe Zahlen stehen. Ich weiß, es gibt noch die mit den niedrigen Zahlen, aber ich sorge schon dafür, daß es die hier bald nicht mehr gibt. *Damit enteilt Herr Jänecke, um einen anderen anzutreiben.*

HEILBUTT Schwein.

30. Pinnebergs Zimmer bei Mia

LÄMMCHEN *liest* Genau zur Hälfte der Schwangerschaft setzen die ersten Kindesbewegungen im Mutterleib ein. Mit freudiger Rührung und immer neuem Staunen lauscht die werdende Mutter dem zarten Pochen des Kindleins ... *Die Tür öffnet sich einen Spalt, und Frau Marie Pinnebergs verwuschelter Kopf schaut herein.*

MIA Hans noch nicht da?

LÄMMCHEN Nein, noch nicht.

MIA Es ist aber schon halb acht. Er wird doch nicht –?

LÄMMCHEN Er wird doch nicht was?

MIA Werde mich hüten, teure Schwiegertochter. Du hast natürlich einen Mustermann, bei dem kommt es nicht vor, daß er am Lohntag ausbleibt und einen kippt.

LÄMMCHEN Der Junge kippt nie einen.

MIA Eben, ich sagte es ja, bei deinem Mann kommt das nicht vor.

LÄMMCHEN Kommt auch nicht.

MIA Nein. Nein.

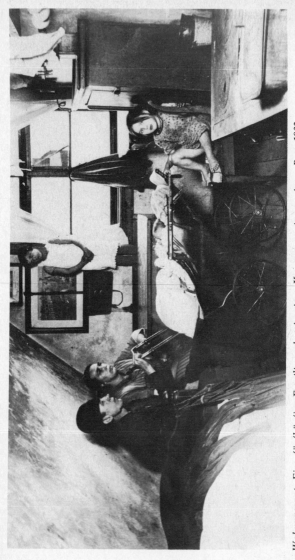

Wohnungsnot. Eine fünfköpfige Familie wohnt in einer Kammer mit nur einem Bett. 1932

LÄMMCHEN Nein.

Der Kopf von Frau Mia Pinneberg verschwindet.

LÄMMCHEN Olle Ziege. Dabei hat sie nur Angst um ihre Miete. Na, wenn sie auf hundert rechnet...

Draußen geht die Klingel.

MIA *ruft:* Wenn es jemand für mich ist, Emma, ins kleine Zimmer. Ich bin gleich fertig.

LÄMMCHEN Natürlich ist es für dich, Mama.

Lämmchen öffnet die Tür. Heilbutt tritt ein.

HEILBUTT Frau Pinneberg?

LÄMMCHEN Kommt sofort. Wenn Sie bitte solange ablegen wollen? Hier in dies Zimmer.

HEILBUTT Herr Pinneberg ist nicht da?

LÄMMCHEN Herr Pinneberg ist doch lange... Ach, Sie wollen zu Herrn Pinneberg! Der ist noch nicht hier, er muß aber jeden Augenblick kommen.

HEILBUTT Komisch, er ist nämlich schon um vier Uhr bei Mandel weggegangen. Nicht ohne mich für heute abend eingeladen zu haben. Mein Name ist nämlich Heilbutt.

LÄMMCHEN O Gott, Sie sind Herr Heilbutt!

HEILBUTT Ja, ich bin Heilbutt.

LÄMMCHEN Gott, Herr Heilbutt, was müssen Sie von mir denken? Aber es hat natürlich keinen Zweck, daß ich Ihnen etwas vorkohle. Also, erstens habe ich gedacht, Sie wollen zu meiner Schwiegermutter, die heißt nämlich auch Pinneberg...

HEILBUTT Richtig.

LÄMMCHEN Und zweitens hat mir der Junge gar nicht gesagt, daß er Sie heute einladen will. Darum war ich so perplex.

HEILBUTT Nicht sehr.

LÄMMCHEN Und drittens verstehe ich nicht, wie er um vier dort weggehen kann – wieso denn schon um vier? – und jetzt noch nicht hier ist.

HEILBUTT Er wollte noch etwas besorgen.

Die Tür tut sich auf, und freudig lächelnd geht Frau Mia Pinneberg auf Heilbutt zu.

MIA Ich nehme an, Sie sind Herr Siebold, der heute auf mein Inserat anrief. Wenn ich bitten dürfte, Emma...

LÄMMCHEN Das ist Herr Heilbutt, Mama, ein Kollege von Hannes, er besucht mich.

MIA Ah natürlich, Entschuldigung! Sehr angenehm, Herr Heilbutt. Sie arbeiten auch in der Konfektion?

HEILBUTT Ich bin Verkäufer.

Geräusch an der Tür.

LÄMMCHEN Sicher ist das der Junge.

Pinneberg kommt. Er trägt mit dem Lehrling von »Betten-Himmlisch« eine Frisiertoilette herein.

PINNEBERG Guten Abend, Mama. Guten Abend, Heilbutt, fein, daß Sie schon da sind! 'n Abend, Lämmchen. Ja, da guckst du, unsere Frisiertoilette, die von »Betten-Himmlisch«! Auf dem Alexanderplatz sind wir beinahe unter den Autobus gekommen. Ich sage euch, Blut und Fett habe ich geschwitzt, bis wir hier waren. Macht mir einer die Tür zu unserem Zimmer auf?

LÄMMCHEN Aber Junge!

HEILBUTT Haben Sie das Ding selbst hergefahren, Pinneberg?

PINNEBERG Höchstpersönlich. I myself with this – how do you call him? – Lehrling?

MIA Frisiertoilette, ihr müßt es ja sehr dicke haben, Kinder. Wer braucht denn heute beim Bubikopf noch eine Frisiertoilette?

PINNEBERG Da in die Ecke, Meister. Etwas über Eck. Dann ist das Licht besser. 'ne Lampe müßten wir darüber anbringen. So, Meister, nun wollen wir runter und noch den Spiegel holen. Entschuldigt noch einen Augenblick... Das ist meine Frau, Heilbutt. Gefällt sie Ihnen?

LEHRLING Den Spiegel schaff ich ooch alleene, Herr.

HEILBUTT Ganz ausgezeichnet.

LÄMMCHEN Aber Junge!

MIA Der ist ja rein verdreht heute.

PINNEBERG Ausgeschlossen! Daß du mit dem teuren Ding die Treppe rauffällst! Der Spiegel, echt Kristall, geschliffen, kostet alleine fünfzig Mark.

Er geht mit dem Lehrling ab.

MIA Ich will dann im Moment nicht länger stören. Du wirst

70

auch mit dem Abendessen zu tun haben, Emma. Wenn ich dir irgendwie helfen kann?

LÄMMCHEN O Gott, mein Abendessen!

MIA Wie gesagt, ich helfe dir gerne aus.

HEILBUTT Machen Sie sich doch keine Gedanken. Ich bin ja nicht wegen des Essens hergekommen.

Die Tür öffnet sich wieder und es erscheint von neuem Pinneberg mit dem Lehrling.

PINNEBERG Aber nun paßt auf! Jetzt kommt er erst richtig zur Geltung. So, ein bißchen anheben, Junge. Haben Sie die Schrauben? Warten Sie...

Er schraubt und schwitzt und redet dabei ununterbrochen.

PINNEBERG Mach noch eine Flamme an. So – es muß ganz hell sein, nein bitte, Heilbutt, tun Sie mir einen Gefallen, gehen Sie jetzt nicht ran. Zuerst von uns allen soll sich Lämmchen in dem Spiegel spiegeln. Ich habe auch noch nicht reingesehen, immer die Decke drumgelassen. – Hier Junge, hast du einen Taler. Einverstanden? Na, hau ab, Haus wird ja noch offen sein. 'n Abend. –

Lehrling ab.

PINNEBERG Lämmchen, tu mir bitte die Liebe, bitte, du brauchst dich doch vor Heilbutt nicht zu genieren, was Heilbutt?

HEILBUTT Kein Gedanke! Wegen meiner...

PINNEBERG Also zieh deinen Bademantel mal über. Nur überziehen. Bitte, bitte. Ich habe immer gedacht, wie das ist, wenn du dich in deinem Bademantel drin spiegelst. Ich möchte es als erstes drin sehen... Bitte Lämmchen...

LÄMMCHEN Junge, Junge! Sie sehen, Herr Heilbutt, da kann man nichts machen.

Sie nimmt aus dem Kleiderschrank ihren Bademantel.

HEILBUTT Von mir aus. Ich sehe so etwas gerne. Und übrigens hat Ihr Mann ganz recht, jeder Spiegel sollte zu Anfang etwas besonders Hübsches spiegeln.

LÄMMCHEN Lassen Sie man.

HEILBUTT Aber ich versichere Ihnen...

PINNEBERG Lämmchen...

Er betrachtet abwechselnd seine Frau in persona und im Spiegel.

PINNEBERG *zu Heilbutt* In manchen Spiegeln sieht man aus wie eine Wasserleiche so grün, habe aber noch keine gesehen. In manchen ganz breit, und in manchen so angestaubt... Aber dieser Spiegel ist gut, was Lämmchen?

Es klopft, die Tür öffnet sich einen Spalt, und Frau Pinnebergs Kopf erscheint.

31. Im Bett

LÄMMCHEN Und der Murkel? Wir müssen doch für den Murkel einkaufen! Du, ich bin nicht für drei Plünnen und Stroh. Uns kanns schon mal dreckig gehn. Uns schadet das nichts, aber der Murkel soll nichts auszustehen haben, die ersten fünf, sechs Jahre nicht, was ich dazu tun kann. Und du kaufst sowas!

PINNEBERG Lämmchen, mein Lämmchen! Ich bin ein Idiot gewesen, ich habe alles falsch gemacht. Ich bin doch so. Aber darum darfst du nicht so zu mir reden. So war ich doch immer, und deswegen mußt du doch bei mir bleiben und darfst nicht zu mir so sprechen, als wäre ich irgendwer, mit dem man sich zanken kann.

LÄMMCHEN Hundertsiebzig Mark Gehalt, und da gibst du hundertfünfundzwanzig für eine Frisiertoilette aus.

PINNEBERG Zweiundvierzig Mark habe ich ja noch.

LÄMMCHEN Wieso zweiundvierzig?

PINNEBERG Drei Mark habe ich dem Jungen gegeben.

LÄMMCHEN Welchem Jungen –?

PINNEBERG Na, dem Lehrling.

LÄMMCHEN Wovon sollen wir nun eigentlich leben?

PINNEBERG Lämmchen, ich weiß ja. Ich bin so dumm gewesen. Aber es kommt gewiß nie und nie wieder vor.

LÄMMCHEN Junge, du, ich...

PINNEBERG Lämmchen, du mußt mir ganz richtig verzeihen. Weißt du, ganz von innen heraus, daß du gar nicht mehr daran denkst, daß du wirklich über deinen dummen Mann lachen kannst, wenn du die Frisiertoilette siehst.

72

LÄMMCHEN Jungchen, du mein Jungchen...

PINNEBERG Nein, jetzt muß Licht sein. Ich muß dein Gesicht
sehen, wie du aussiehst, wenn du mir wirklich verzeihst,
daß ich das später immer weiß...

LÄMMCHEN Da fühle, eben hat er sich geregt, der Murkel, er
hat geklopft... Fühlst du es? Jetzt wieder...
Lange Umarmung.

LÄMMCHEN Alles ist gut. Alles ist gut, mein Junge.

PINNEBERG Ja, ich bin so glücklich wie noch nie in meinem
Leben. Du, Lämmchen, du...

MIA *draußen* Darf ich noch mal rein?

PINNEBERG Komm nur rein, Mama. Uns störst du nicht.
*Er hält seine Hand fest um Lämmchens Schulter und hin-
dert sie, in ihr Bett hinüberzuschlüpfen. Mia Pinneberg tritt
ein.*

MIA Ich störe euch hoffentlich nicht. Ich sah, daß hier noch
Licht brennt. Aber ich dachte natürlich nicht, daß ihr
schon im Bett wärt. Also ich störe euch gewiß nicht?
Sie setzt sich.

PINNEBERG Uns störst du gewiß nicht. Das macht uns gar
nichts. Übrigens sind wir ja auch verheiratet.

MIA Gott, was die junge Frau für 'ne Brust hat! Das sieht
man am Tage gar nicht so. Du erwartest doch nicht?

PINNEBERG I wo. Die ist bei Lämmchen immer so. Die hat
sie schon als Kind gehabt.

LÄMMCHEN Junge!

MIA Siehst du, Emma, dein Mann verkohlt mich. Die drinnen verkohlen mich auch. Nun bin ich mindestens fünf
Minuten weg, und ich bin doch die Gastgeberin. Aber
glaubt ihr, einer fragt nach mir? Immer die dummen Zie-
gen, die Claire und die Nina. Und Holger ist auch ganz
anders geworden, die letzten Wochen. Nach mir fragt keiner.
Frau Pinneberg schluchzt ein bißchen.

LÄMMCHEN O Mama!

PINNEBERG Laß man, Lämmchen, das kennen wir schon.
Hast einen kleinen sitzen, Mama.

MIA Und wie ist das mit meiner Miete? Heute ist der einunddreißigste, überall müßt ihr die Miete im voraus bezahlen, und ich habe noch keinen Pfennig...

PINNEBERG Du kriegst sie schon.

MIA Ich muß sie heute haben.

PINNEBERG Sei doch nicht blöd, Mama. Und denk bitte auch daran, daß Lämmchen dir alle Arbeit macht.

MIA Ich will mein Geld haben. Wenn Lämmchen mir nicht mal solch kleinen Gefallen tun will. Ich habe auch heute Tee für euch aufgebrüht, wenn ich das nun auch bezahlt haben will?

PINNEBERG Du bist ja verdreht, Mama. Jeden Tag die ganze Wohnung aufräumen und ein bißchen Tee aufbrühen...

MIA Egal, Gefallen bleibt Gefallen. Ich komme gleich wieder.

Mia ab.

PINNEBERG Nun aber schnell das Licht aus. Verdammt, daß man die Tür nicht abschließen kann, nichts ist hier in Ordnung, in diesem Saustall.

Er macht das Licht aus, dann kriecht er wieder zu Lämmchen.

PINNEBERG O Lämmchen, daß die Olle dazwischenkommen mußte, und wir waren so schön in Gang...

LÄMMCHEN Ich kann das nicht ertragen, daß du so zu Mama sprichst. Es ist doch deine Mutter, Jungchen.

PINNEBERG Leider, leider, und weil ich sie eben so gut kenne, weiß ich, was sie für ein Biest ist. Keinen Menschen mag sie wirklich, mit dem Jachmann, glaubst du, es geht noch lange gut? Der merkt doch auch, die nützt ihn bloß aus. Und nur so fürs Bett, da wird sie doch nun bald auch zu alt.

LÄMMCHEN Junge, ich will nie wieder hören, daß du so von Mama sprichst. Ich muß immer denken, der Murkel könnte einmal so von mir reden.

PINNEBERG Von dir? Aber du, du bist doch Lämmchen! Du bist – ach Gott, verdammt, da ist sie schon wieder an der Tür. – Wir schlafen jetzt, Mama!

JACHMANN *von draußen* Liebe Kinder, entschuldigt mich einen Augenblick!

Kommt herein.

PINNEBERG Gerne. Gehen Sie immer raus, Herr Jachmann.

JACHMANN Einen Augenblick, junge Frau, ich gehe raus. Sie sind Ehe, und wir sind Ehe. Nicht standesamtlich, aber sonst ganz reell mit allem Krach... sollen wir uns also nicht helfen?

PINNEBERG Raus!

JACHMANN Sie sind eine entzückende Frau.

Er setzt sich schwer auf das Bett.

PINNEBERG Das bin leider nur ich.

JACHMANN Egal, ich weiß doch hier Bescheid, gehe ich einfach rum um das Bett.

PINNEBERG Sie sollen rausgehen!

JACHMANN Tu ich auch noch.

Er sucht sich den Weg durch den Engpaß zwischen Waschtisch und Schrank.

JACHMANN Ich komme nämlich nur wegen der Miete. Sind Sie das, junge Frau? Wo war das? Oh, machen Sie doch mal Licht. Sagen Sie noch mal: O Gott.

Er kämpft sich weiter durch das Zimmer.

JACHMANN Wissen Sie, die Frau, Ihre Mutter, schimpft ewig rum, weil sie die Miete noch nicht hat. Heute verkorkst sie uns wieder den ganzen Abend. Jetzt weint sie drüben. Na, habe ich gedacht, Jachmann, die letzten Tage hats nur so geflutscht mit dem Geldverdienen, Jachmann, geben würdest du es der Frau doch, gibst du es den Kindern. Die geben es der Frau, kommt es auf eins raus. Und Friede ist.

PINNEBERG Nee, Herr Jachmann, das ist ja sehr liebenswürdig von Ihnen...

JACHMANN Liebenswürdig – nee, meine Ruhe will ich haben. Kommen Sie her, junge Frau, hier ist das Geld.

MIA *draußen* Holger, wo bist du denn, Holger?

PINNEBERG Verstecken Sie sich rasch! Sie kommt hier rein.

Gepolter, die Tür geht auf.

MIA Ist Jachmann vielleicht hier?

Mia macht Licht.

MIA Wo er wieder ist? Manchmal rennt er auf die Straße, bloß weil es ihm zu heiß ist. – Ach Gott, da –!

Sie bemerkt das Geld.

LÄMMCHEN Ja, Mama. Wir haben es uns eben besprochen. Das ist die Miete für die nächste Zeit. Bitte.

Frau Mia Pinneberg nimmt das Geld.

MIA Dreihundert Mark. Na, es ist gut, daß ihr euch besonnen habt. Ich rechne es dann für Oktober und November. Dann ist nur noch die Kleinigkeit für Gas und Licht. Das Rechnen wir dann bei Gelegenheit ab. Also gut... ich danke euch... Gute Nacht...

Sie hat sich aus dem Zimmer geredet, ängstlich ihren Schatz hütend. Hinter dem letzten Bett taucht Jachmann auf.

JACHMANN Was 'ne Frau! Was 'ne Frau! Dreihundert Mark und Oktober und November, das ist doch sehr gut! Na, entschuldigt, Kinder, jetzt muß ich sie sehen. Erstens bin ich neugierig, ob sie was von dem Geld sagt. Und zweitens, ist sie jetzt bestimmt so aufgedreht – na also, gute Nacht.

32. Konfektionsabteilung

KESSLER Morgen.

PINNEBERG *mißt Stoffballen* Morgen.

KESSLER Noch mächtig dunkel heute. Sie sind ja mächtig biereifrig.

PINNEBERG Ich trinke kein Bier.

KESSLER Sie wohnen doch in der Spenerstraße, Pinneberg?

PINNEBERG Woher wissen Sie denn das?

KESSLER Ich habe mal so was gehört.

PINNEBERG So.

KESSLER Ich wohne nämlich in der Paulstraße. Ist nur komisch, daß wir uns nie in der Stadtbahn getroffen haben.

PINNEBERG *sieht ihn mißtrauisch an.*

KESSLER Verheiratet sind Sie auch. Ist nicht leicht heute, verheiratet zu sein. Haben Sie Kinder?

PINNEBERG Weiß ich nicht. Sie können auch was tun, anstatt hier rumzustehen.

KESSLER Weiß ich nicht, ist gut. Aber vielleicht stimmt's.

76

Weiß ich nicht, ist sogar ausgezeichnet, wenn man das als Familienvater sagt.

PINNEBERG Hören Sie, Herr Keßler –!

KESSLER Na, was denn? Oder haben Sie's nicht gesagt? Hauptsache, wenn es die Frau Mia weiß...

PINNEBERG Wie? Wollen Sie was von mir? Ich schlag Ihnen ein paar in Ihre Fresse, sie dummer Kerl. Ewig stänkern...

KESSLER Das ist dann die diskrete Anbahnung vornehmer Geselligkeit, was? Pusten Sie sich doch bloß nicht auf, Mensch! Ich möchte wissen, was Herr Jänecke sagt, wenn ich ihm das Inserat zeige. Wer seine Frau solche Drecksinserate aufgeben läßt, solche Schweineinserate... 'ne Schande für den ganzen Stand! *Pinneberg packt ihn.* Fangen Sie hier keine Schlägerei an!

PINNEBERG Warten Sie, Sie Saukerl.

Von den anderen Ständen kommen sie gelaufen.

EIN VERKÄUFER Das geht doch nicht!

EIN ANDERER Wenn Jänecke das sieht, fliegen sie beide.

EIN DRITTER Jetzt fehlt nur noch Kundschaft im Laden.

Heilbutt hält Pinneberg fest.

PINNEBERG Lassen Sie mich los! Ich muß den erst...

HEILBUTT Seien Sie nicht albern, Pinneberg. Ich habe viel mehr Kräfte als Sie und ich lasse Sie bestimmt nicht los...

KESSLER *zieht seinen Schlips zurecht* Ich möchte wohl mal wissen, warum der sich so aufregt. Wo er's seine Olle öffentlich in die Zeitung setzen läßt.

PINNEBERG Heilbutt!

Pinneberg will sich losmachen.

HEILBUTT Hier, los, ausgepackt, Keßler! Was ist das für ein Inserat? Herzeigen!

KESSLER Sie haben mir überhaupt gar nichts zu sagen. Sie sind auch nicht mehr als ich, wenn Sie sich auch erster Verkäufer schimpfen.

EIN VERKÄUFER Nur immer auspacken, oller Junge!

EIN ANDERER Jetzt einen Rückzieher machen, ausgeschlossen!

Keßler entfaltet eine Zeitung:

KESSLER Na also, werd ich's vorlesen. Mir wär's ja peinlich.
Er zögert wieder, erhöht die Spannung.
EIN VERKÄUFER Nun mach aber los, Mensch.
EIN ANDERER Immer muß er stänkern.
KESSLER *liest:* Kein Glück in der Liebe? Ich führe Sie in ei-
nen reizenden vorurteilsfreien Kreis entzückender Da-
men ein. Sie werden befriedigt sein. Frau Mia Pinneberg,
Spenerstraße 92 – II. Stock. Sie werden befriedigt sein . . .
Na, und was sagt ihr nun?

33. Lämmchen auf Wohnungssuche

LÄMMCHEN *singt*
Es war in der Kantstraße vierzehn,
im Fenster lag ein Mann,
daneben ein Schild »Zu vermieten«,
ein Auge sah mich an.
Da sah er meinen Murkel
und kriegt ein grün Gesicht
und sagt: mein liebes Fräulein,
an zwee vermiet ik nicht.

Es war Ostseeplatz einundzwanzig,
ein Kind schrie wie am Spieß,
die Wohnung roch muffig und ranzig,
der Hauswirt nach Anis.
Da sah er meinen Murkel
und kriegt ein grün Gesicht
und sagt: mein liebes Fräulein,
an zwee vermiet ik nicht.

Es war in der Spreestraße sieben,
im Flur da stand 'n Bett,
zwei Hunde, die hams da getrieben,
die Wirtin war sehr nett.
Da sah sie meinen Murkel
und kriegt ein grün Gesicht
und sagt: mein liebes Fräulein,

78

an zwee vermiet ik nicht.

Es war Dönhoffplatz achtunddreißig,
'ne Orgel spielte im Hof,
der Hauswirt der putzte die Treppe
und war 'n bißchen doof.
Da sah er meinen Murkel
und kriegt ein grün Gesicht
und sagt: mein liebes Fräulein,
an zwee vermiet ik nicht.

Es war Große Sternallee viere,
ich kam sehr müde hin,
die Frau saß munter beim Biere,
der Wirt rasierte sein Kinn.
Da sah er meinen Murkel
und kriegt ein grün Gesicht
und sagt: mein liebes Fräulein,
an zwee vermiet ik nicht.

Am Pekingplatz zwölf wollt ich bleiben,
der Hauswirt war fast blind.
Er rief: hol mir zum unterschreiben
die Brille aus dem Spind!
Da sah er meinen Murkel
und kriegt ein grün Gesicht
und sagt: mein liebes Fräulein,
an zwee vermiet ik nicht.
Sie fällt ohnmächtig um.
SEIFENFRAU Mann, Emil!
LÄMMCHEN Ich bin so viel rumgelaufen...
SEIFENFRAU Das sollten Sie man nicht. Ein bißchen laufen
ist ganz gesund dabei, aber nicht zuviel.
LÄMMCHEN Ich muß ja, ich muß ja 'ne Wohnung finden.
EMIL Ja, ja, junge Frau, die Vögel füttern sie ja wohl im
Winter, daß sie nicht umkommen, aber unsereins! –
SEIFENFRAU Quatsch nicht. Unsinn, denk nach. Weißt du
nichts?

EMIL Was soll ich wissen? Angestellter. Ich muß immer lachen, Angeschissener sollte das heißen...

SEIFENFRAU Weißte, so 'ne Gedanken, nur nicht so gemein
wie deine, wird sich die junge Frau schon reichlich selber
gemacht haben. Dazu braucht sie dich nicht. Denk lieber
mal nach. Weißte nichts?

EMIL Wieso? Quatsch dich rein aus. Was soll ich wissen?

SEIFENFRAU Du weißt doch Emil, Puttbreese!

EMIL Ach, du meinst 'ne Wohnung? Ich soll über 'ne Wohnung für die Dame nachdenken. Das muß einem doch gesagt werden!

SEIFENFRAU Wie ist das mit Puttbreese? Ist das noch frei?

EMIL Puttbreese? Will er denn vermieten? Wo will er denn
vermieten?

SEIFENFRAU Wo er's Möbellager gehabt hat. Du weißt doch.

EMIL Das erste, was ich höre! Na, wenn er die Löcher vermieten will, da wird die junge Frau nicht raufkommen
über die Hühnerleiter. Bei ihrem Zustand.

SEIFENFRAU Quatsch. Hören Sie, junge Frau, jetzt legen Sie
sich erst mal ein paar Stunden hin und dann so gegen vier,
dann gehen wir zusammen zu Puttbreese.

LÄMMCHEN Vielen, vielen Dank.

EMIL Wenn die junge Dame – und mietet da, dann freß' ich
einen Besen! Einen Piassavabesen für einsfünfundachtzig
freß' ich.

SEIFENFRAU Quatsch.

34. Dachboden bei Puttbreese

PINNEBERG Und was kostet das?

LÄMMCHEN Vierzig Mark. Das heißt eigentlich nichts.

PINNEBERG Wieso eigentlich nichts?

LÄMMCHEN Nun paß mal auf. Hast du das kapiert mit der
Leiter hier rauf, und daß die Zimmer hier oben so verrückt sitzen?

PINNEBERG Nee, keine Ahnung. Der Baumeister ist wahrscheinlich meschugge gewesen. Solche soll's viele geben.

Autobus als Notwohnung

LÄMMCHEN Gar nicht meschugge. Das hier ist mal eine richtige Wohnung gewesen mit Küche und Klo und Vorplatz und allem. Und hier herauf ist eine richtige Treppe gegangen.

PINNEBERG Und wieso ist das alles weg?

LÄMMCHEN Weil sie das Kino eingebaut haben. Bis zur Tür von unserem Schlafzimmer geht der Saal vom Kino. Alles andere ist weg für den Kinosaal. Diese zwei Zimmer sind übriggeblieben, und kein Mensch hat gewußt, was damit anfangen. Richtig vergessen sind sie worden, bis sie Puttbreese wieder entdeckt hat. Und er hat die Leiter raufgemacht von seinem Lager her, und weil er Geld braucht, will er nun vermieten.

PINNEBERG Da rauf! Du in deinem Zustand! – Wo ist die Küche?

LÄMMCHEN *schlägt auf den Eisenofen* Da.

PINNEBERG Und warum kostet die Wohnung eigentlich gar nichts und dann doch vierzig Mark?

LÄMMCHEN Weil er natürlich nicht vermieten darf, weil das die Baupolizei gar nicht erlauben würde, wegen Feuersgefahr und Hals- und Beinbruch.

PINNEBERG Na ja, wie du hier in ein paar Monaten raufkommen willst...!

LÄMMCHEN Das laß meine Sorge sein. Hauptsache, daß du die Wohnung willst.

PINNEBERG Ach, die Wohnung ist ja soweit ganz gut.

LÄMMCHEN O du Affe! Du Affe! Du Affe! Ganz gut! – Allein sind wir hier! Kein Mensch sieht uns mehr in unseren Kram. Herrlich ist es.

PINNEBERG Also, Mädchen, dann mieten wir. Du hast die Arbeit und den Umstand, ich bin froh, wenn du willst.

LÄMMCHEN Ich bin auch froh, komm.

Sie klettern die steile Treppe runter.

PUTTBREESE *der in der Werkstatt unten gewartet hat* Junger Mann, Geld nehme ich natürlich nicht für die Baracke. Sie wissen Bescheid.

PINNEBERG Ja.

PUTTBREESE Sie wissen Bescheid!

PINNEBERG Ja?

LÄMMCHEN Gott, leg mal zwanzig Mark auf den Tisch.

PUTTBREESE Richtig. Die junge Frau, die hat's. Halber November, schön. Und da lassen Sie sich man keine grauen Haare drüber wachsen, junge Frau, mit dem Bauch. Wenn der zu dick wird und es will nicht mehr mit der Hühnerleiter, dann machen wir einen Flaschenzug an und hängen einen Stuhl darunter, und dann ziehen wir Sie langsam hoch, das soll ein Genuß für mich sein.

35. Kaufhaus Mandel

Prospekt: großer Weihnachtsbaum.
An einem langen Tisch sitzen nebeneinander Herr Mandel, Frau Mandel, Jänecke, Spannfuß und Lehmann.

LEHMANN *spricht zur Belegschaft* Liebe Belegschaft, wir freuen uns, heute, zum Heiligen Fest, unseren verehrten Chef, Herrn Kurt Mandel und seine Gemahlin Esther in unserer Mitte zu haben. Ich darf Ihnen auch bei dieser Gelegenheit unseren neuen Herrn Spannfuß vorstellen, der frisch aus Amerika zurückkommt und uns altmodische Knallköppe rationalisieren wird. *Freundliches Gelächter.* Und jetzt möchte ich die große Familie Mandel bitten, ihrer Weihnachtsfreude Ausdruck zu verleihen. *Sie singen:*
O du fröhliche
o du selige
gnadenbringende
Weihnachtszeit!

36. Dachwohnung

Unter einem Weihnachtsbäumchen die Geschenke: ein Selbstbinder, ein Oberhemd und ein Paar Gamaschen, eine Flasche Eau de Cologne und ein Umstandsgürtel.

PINNEBERG Ich will nicht, daß du einen Hängebauch bekommst. Ich will eine hübsche Frau behalten.

LÄMMCHEN Im nächsten Jahr sieht der Murkel schon den Baum. – Worüber denkst du nach, mein Junge?

PINNEBERG Bei uns ist jetzt ein neuer Organisator einge-stellt, der soll den ganzen Betrieb durchorganisieren. Sparmaßnahmen und so.

LÄMMCHEN An euren Gehältern ist doch nicht mehr viel zu sparen.

PINNEBERG Die reden davon, daß nun auch bei uns jeder Verkäufer gesetzt kriegen soll, so und soviel mußt du ver-kaufen, und wenn du das nicht schaffst, fliegst du.

LÄMMCHEN Gemein finde ich das! Einen Menschen danach bewerten, wieviel Hosen er verkaufen kann!

PINNEBERG Na ja, du gehst ja mächtig los, Lämmchen!

LÄMMCHEN Tu ich auch, rasend wütend kann mich sowas machen.

PINNEBERG Aber die sagen natürlich, daß sie einen Men-schen nicht dafür bezahlen, daß er nett ist, sondern daß er eben viel Hosen verkauft.

LÄMMCHEN Das ist ja gar nicht wahr. Sie wollen ja doch, daß sie anständige Menschen haben. Aber was sie jetzt ma-chen, mit den Arbeitern schon lange und mit uns nun auch, da ziehen sie lauter Raubtiere hoch und da werden sie was erleben, sage ich dir!

PINNEBERG Natürlich werden sie was erleben. Die meisten bei uns sind ja auch schon Nazis.

LÄMMCHEN Danke! Ich weiß, was wir wählen!

PINNEBERG Na – und was? Kommunisten?

LÄMMCHEN Natürlich.

PINNEBERG Das wollen wir uns noch mal überlegen. Vorläu-fig haben wir ja noch eine Stellung, da ist es ja noch nicht nötig.

37. Etat

Prospekt: große Schrifttafel.
Davor Lämmchen und Pinneberg. Auf der Schrifttafel
steht handgeschrieben:

Normal-Etat von Johannes und Lämmchen Pinneberg pro
*   Monat.*
Anmerkung: Darf unter keinen Umständen überschritten
*   werden!!!*
A. Einnahmen
Gehalt pro Monat brutto   200,— RM
B. Ausgaben
a) Lebensmittel

Butter und Margarine	*10,—*	
Eier	*4,—*	
Gemüse	*8,—*	
Fleisch	*12,—*	
Wurst und Käse	*5,—*	
Brot	*10,—*	
Kolonialwaren	*5,—*	
Fische	*3,—*	
Obst	*5,—*	*62,—*

b) Sonstiges

Versicherungen und Steuern	*31,75*	
DAG-Beitrag	*5,10*	
Miete	*40,—*	
Fahrgeld	*9,—*	
Elektrisches Licht	*3,—*	
Feuerung	*5,—*	
Kleidung und Wäsche	*10,—*	
Schuhwerk	*4,—*	
Waschen, Rollen und Plätten	*3,—*	
Reinigungsmittel	*5,—*	
Zigaretten	*3,—*	
Ausgänge	*3,—*	
Blumen	*1,15*	
Neu-Anschaffungen	*8,—*	
Unvorhergesehenes	*3,—*	*134,—*

Gesamtausgaben   196,— RM

Bleibt Bestand   4,— RM

Die Unterzeichneten verpflichten sich, unter keinen Umständen und unter keinem Vorwande Geld zu anderen als den vorgesehenen Zwecken und nicht über den Etat hinaus aus der Kasse zu entnehmen.

Berlin, am 30. November 1931.

LÄMMCHEN Und nun unterschreib, Jungchen, daß du dich dran halten willst.

PINNEBERG Üppig, üppig. Drei Mark Zigaretten finde ich sehr anständig von dir.

LÄMMCHEN Tag drei Stück zu drei Pfennig. Du wirst manchmal japsen.

Er unterschreibt.

PINNEBERG Was ist denn, Lämmchen?

LÄMMCHEN Die Wehen.

38. *Der kleine Tiergarten*

Drüben ist das Tor zum Krankenhaus, aber Lämmchen kann nicht mehr. Sie kann nicht mehr. Sie setzt sich auf eine Bank. Fünf Frauen sitzen da, sie rücken beiseite. Lämmchen hat die Augen geschlossen und krümmt sich vornüber. Pinneberg steht etwas verlegen, hilflos dabei, ihr Stadtköfferchen in der Hand.

EINE DICKE FRAU Na, man Mut, junge Frau, wenn's gar nicht will, holen die Sie mit der Bahre.

EINE JUNGE FRAU Wie die gebaut ist, da wird's schon werden. Die hat noch Speck zuzusetzen.

Sie wird mißbilligend von den anderen betrachtet.

EINE ANDERE FRAU Soll man jede froh sein, die ein bißchen was auf den Rippen hat, bei den Zeiten. Da braucht man nicht gleich neidisch sein.

DIE JUNGE FRAU So meine ich es doch nicht.

EINE DUNKLE SPITZNASIGE FRAU Da sieht man es nun wieder. Bloß damit die Männer ihr Vergnügen haben. Wir müssen hinhalten.

Eine gelbe Ältere ruft ein Mädel ran, ein dickes Kind von
dreizehn Jahren.

DIE GELBE ÄLTERE Sieh es dir an, so geht's dir, wenn du dich
mit Männern einläßt. Kannste dir ruhig ansehen. Das
schadet dir nichts, Frieda. Dann weißte doch, warum Vater dich rausschmeißt.

LÄMMCHEN Gleich geht's wieder. Gleich gehen wir weiter,
Junge, ist es schlimm?

PINNEBERG O Gott.

Pinnebergs gehen weiter, Schritt für Schritt.

PINNEBERG Du, Lämmchen?

LÄMMCHEN Was denn, frag schon!

PINNEBERG Du wirst doch nie denken, wie die Olle da gesagt
hat, daß es nur ist, damit ich mein Vergnügen habe?

LÄMMCHEN Quatsch.

Torbogen, der dicke Portier.

PORTIER Entbindung, was? Links in die Anmeldung.

PINNEBERG Können wir nicht gleich –? Die Wehen sind
schon im Gang. Können wir nicht gleich ein Bett, meine
ich –?

PORTIER Gott, das ist wohl nicht so eilig.

PINNEBERG Du, Lämmchen. Ach, ich wollte dich ein bißchen
unterhalten. Aber mir fällt gar nichts ein, Lämmchen. Ich
muß immerzu daran denken.

LÄMMCHEN Du brauchst gar nichts zu sagen, Junge. Und
Sorgen sollst du dir auch nicht machen. Diesmal kann ich
wirklich sagen, was andere können, kann ich auch.

Lämmchen geht ins Krankenhaus.

39. Pinneberg erinnert sich

Pinneberg sitzt auf der Bank. Er erinnert sich daran, wie
er Lämmchen kennengelernt hat.

OFFSTIMME Es war gegen Abend, der Himmel färbte sich
schon rötlich.

Pinneberg geht über die Dünen. Lämmchen kommt ihm
entgegen. Sie bleiben voreinander stehen.

PINNEBERG Guten Abend.

Sie sehen sich an.

LÄMMCHEN Guten Abend.

Sie sehen sich an.

PINNEBERG *deutet hinter sich* Gehen Sie doch nicht *dahin.* Da ist lauter Jazz, Fräulein und die Hälfte ist betrunken.

LÄMMCHEN Ja? Aber gehen Sie auch nicht *dahin.*

Sie zeigt in die Richtung, aus der sie kam In Wiek ist es nicht anders.

PINNEBERG Was machen wir da?

LÄMMCHEN Ja, was ist zu machen?

PINNEBERG Essen wir hier zu Abend.

LÄMMCHEN Mir ist es recht.

OFFSTIMME Sie sitzen in einer Mulde. Der Wind streicht über die Dünenkuppen, über ihre Köpfe.

PINNEBERG *bietet ihr sein Brot an* Ich habe Wurstbrot.

LÄMMCHEN *bietet ihm auch an* Ich habe Ei.

Sie tauschen und essen.

PINNEBERG *bietet ihr die Thermosflasche an* In meiner Thermosflasche ist Kaffee.

LÄMMCHEN *bietet ihm ihre an* Bei mir ist Kakao drin.

Sie tauschen und trinken.

LÄMMCHEN O Gott, ich möchte gar nicht nach Lehnsahn.

PINNEBERG Und ich nicht nach Wiek.

LÄMMCHEN Also was machen wir?

PINNEBERG Jetzt baden wir erst mal.

OFFSTIMME Sie laufen hinein in die Brandung, sie spritzen sich und lachen. Später sitzen sie da und wissen nicht, was tun.

LÄMMCHEN Also gehen wir?

PINNEBERG Ja, es wird kalt.

Sie bleiben stumm sitzen.

LÄMMCHEN Gehen wir nun nach Wiek oder Lehnsahn?

PINNEBERG Mir ist es gleich.

LÄMMCHEN Mir auch.

Wieder eine lange Stille.

LÄMMCHEN Also gehen wir.

Er legt vorsichtig seinen Arm um sie. Er zittert ebenso wie sie. Sie bleiben in den Dünen liegen.

OFFSTIMME Der Himmel wurde immer dunkler und die Sterne kamen, einer nach dem anderen.

Pause

40. Schwimmbad des Vereins für Nacktkultur

EIN GRAUES WEIBLICHES WESEN Guten Abend, Joachim. Siebenunddreißig hast du.
Sie gibt Heilbutt, der Pinneberg mitgebracht hat, einen Schlüssel mit einer Nummer.

HEILBUTT Danke.

DIE GRAUE Und der Herr?

HEILBUTT Ein Gast. – Du möchtest also nicht baden?

PINNEBERG Nein, heute lieber nicht.

HEILBUTT Na, ganz wie du willst. Sieh dir alles an, vielleicht holst du dir nachher noch einen Schlüssel.
Sie gehen den Gang hinter den Badezellen entlang. Vom Bassin her, das sie aber noch nicht sehen können, hört man das übliche Lachen und Wasserklatschen und Schreien. Eine junge Dame steht nackt in der Tür.

DIE JUNGE DAME Na endlich, Achim, ich dachte, du kämst wieder mal nicht.

HEILBUTT Doch, doch. Gestatte, daß ich dir meinen Freund Pinneberg vorstelle. Herr Pinneberg – Fräulein Emma Coutureau.
Fräulein Coutureau macht eine kleine Verbeugung und sie reicht Pinneberg wie eine Fürstin die Hand.

FRÄULEIN COUTUREAU Sehr angenehm. Hoffentlich überzeugen Sie sich, daß wir auf dem richtigen Wege sind! –

PINNEBERG *sieht einen Telephonapparat* Nur mal schnell telephonieren, Entschuldigung.

HEILBUTT Wir sind also in Zelle siebenunddreißig.

PINNEBERG *telephoniert* Moabit, bitte, Fräulein, Kranken-

haus Moabit! – – 86 50, bitte! – Pinneberg! Nein, Pinne-
berg. – Schwester, Pinneberg. Schwester – Pinne – *Pause.*
Aber es geht ihr gut? – Es ist alles in Ordnung mit meiner
Frau? – Danke, Schwester! – *Er hängt ein.*

Pinneberg klopft an Kabine siebenunddreißig.

HEILBUTT *ruft* Herein.

*Pinneberg öffnet die Tür. Da sitzen die beiden nebeneinan-
der auf dem Bänkchen.*

HEILBUTT Also gehen wir. Eng ist das hier. Du hast mir ordentlich eingeheizt, Emma.

FRÄULEIN COUTUREAU Und du mir.

*Pinneberg geht hinter den beiden, und stellt fest, daß
es peinlich ist.*

HEILBUTT Was hast du übrigens für Nachrichten von deiner
Frau? – Frau Pinneberg ist in der Klinik. Sie soll heute ein
Kind kriegen.

FRÄULEIN COUTUREAU Ach.

PINNEBERG Ist noch nicht soweit. Kann noch drei, vier Stunden dauern.

HEILBUTT Dann hast du ja gründlich Gelegenheit, dir alles
anzusehen.

*Die beiden gehen ins Bassin und Pinneberg schaut zu, was
sich da begibt. Heilbutt scheint so etwas wie eine Hauptper-
son zu sein, alle begrüßen ihn, lachen und strahlen, bis zu
Pinneberg dringt das Joachim-Rufen.*

FRAU NOTHNAGEL Bitte, mein Herr. Sind Sie auch Gast.

PINNEBERG Ja, ich bin Gast.

FRAU NOTHNAGEL Ich auch. Nothnagel ist mein Name.

PINNEBERG Pinneberg.

FRAU NOTHNAGEL Sehr interessant hier, nicht wahr? So un-
gewöhnlich.

PINNEBERG Ja, sehr interessant.

FRAU NOTHNAGEL Sie sind eingeführt durch eine – durch eine
Freundin?

PINNEBERG Nein, durch einen Freund.

FRAU NOTHNAGEL Ach, durch einen Freund! Ich bin nämlich
auch durch einen Freund eingeführt. Und darf ich fragen,
ob Sie sich schon entschlossen haben?

PINNEBERG Weswegen?

FRAU NOTHNAGEL Wegen der Aufnahme. Ob Sie beitreten wollen?

PINNEBERG Nein, ich bin noch nicht entschlossen.

FRAU NOTHNAGEL Denken Sie, ich auch nicht! Ich bin heute das dritte Mal hier, aber ich habe mich noch nicht entschließen können. In meinem Alter ist das nicht so einfach.

PINNEBERG Es ist überhaupt nicht so einfach.

FRAU NOTHNAGEL Sehen Sie, genau das, was ich immer zu Max sage. Max ist mein Freund. Da – nein, jetzt können Sie ihn nicht sehen ... Ja, ich sage immer zu Max, so einfach wie du denkst, ist es nicht, es ist überhaupt nicht einfach, vor allen Dingen nicht für eine Frau.

PINNEBERG Ja, es ist schrecklich schwierig.

FRAU NOTHNAGEL Sehen Sie! Max sagt immer, bedenke das Geschäftliche, es ist geschäftlich vorteilhaft, wenn du beitrittst. Er hat ja recht, und er hat schon eine ganze Menge Vorteil gehabt von seinem Beitritt.

PINNEBERG Ja?

FRAU NOTHNAGEL Es ist ja nichts Verbotenes, ich kann ruhig mit Ihnen darüber sprechen. Max hat eine Vertretung in Teppichen und Gardinen. Nun, das Geschäft wird immer schlechter und da ist Max hier beigetreten. Wo er hört, irgendwo ist ein größerer Verein, da tritt er bei und verkauft an seine Vereinsbrüder. Er gibt ihnen natürlich einen anständigen Rabatt, es bleibt ihm noch genug, sagt er. Ja, Max, der so gut aussieht und so viele Witze weiß und solch glänzender Gesellschafter ist, für den ist es leicht. Für mich ist es viel schwerer.

PINNEBERG Sie sind auch geschäftlich tätig?

FRAU NOTHNAGEL Ja, ich bin auch geschäftlich tätig. Aber ich habe nicht viel Glück. Ich habe ein Schokoladengeschäft gehabt, es war ein ganz gutes Geschäft in einer guten Lage, aber ich habe wohl nicht die richtige Gabe dafür. Immer habe ich Unglück gehabt. Einmal habe ich es besonders gut machen wollen, ich habe mir einen Dekorateur genommen, fünfzehn Mark habe ich ihm bezahlt, und

dafür hat er mir mein Schaufenster dekoriert, für zweihundert Mark Ware lag darin. Und ich bin so eifrig und
hoffnungsfroh, ich denke, das muß doch wirken, in meinem Eifer vergesse ich, die Markise runter zu lassen, und
die Sonne – es war Sommer – scheint mir ins Schaufenster,
und was soll ich Ihnen sagen, mein Herr, wie ich es merke,
da ist alle Ware schon geschmolzen und zusammengelau-
fen. Alles unbrauchbar. Ich habe das Pfund nachher für
zehn Pfennige an Kinder verkauft, die teuersten Pralinen,
denken Sie, für zehn Pfennig das Pfund. Was für ein Schaden das war!

PINNEBERG Haben Sie denn niemand gehabt, der Ihnen ein
bißchen geholfen hat?

FRAU NOTHNAGEL Nein, niemand. Max kam erst später. Da
hatte ich das Geschäft schon wieder abgegeben. Und Max
hat mir eine Vertretung in Leibbinden und Hüfthaltern
und Büstenhaltern besorgt. Es soll ja eine sehr gute Vertretung sein, aber ich verkaufe nichts. So gut wie gar
nichts.

PINNEBERG Ja, so was ist heute schwer.

FRAU NOTHNAGEL Nicht wahr? Es ist schwer. Ich laufe den
ganzen Tag treppauf, treppab, und manchmal verkaufe
ich den ganzen Tag nicht für fünf Mark Ware. Nun, das
ist nicht so schlimm, die Leute haben eben wirklich kein
Geld. Aber wenn manche nur nicht so häßlich wären!
Wissen Sie, ich bin nämlich jüdisch, haben Sie es gemerkt?

PINNEBERG Nein... nicht sehr.

FRAU NOTHNAGEL Sehen Sie, man merkt es doch. Ich sage
immer zu Max, man merkt es. Und da finde ich doch
Leute, die Antisemiten sind, sollten so ein Schild an ihre
Tür machen, daß man sie gar nicht erst belästigt. So
kommt es immer wie aus heiterem Himmel. »Hauen Sie
ab mit Ihrem unsittlichen Zeug, Sie olle Judensau!« hat
gestern einer zu mir gesagt.

PINNEBERG So ein Schwein.

FRAU NOTHNAGEL Ich habe ja manchmal schon dran gedacht,
aus der jüdischen Kirche auszutreten, wissen Sie, ich bin

nicht sehr gläubig, ich esse auch Schweinefleisch und alles. Aber kann man das denn jetzt, wo alle auf den Juden rumhacken?

PINNEBERG Da haben Sie recht. Das tun Sie lieber nicht.

FRAU NOTHNAGEL Ja, und nun hat Max gemeint, ich soll hier eintreten, hier könnte ich gut verkaufen, und recht hat er, sehen Sie, die meisten von den Frauen, von den jungen Mädchen will ich ja nicht reden, die brauchten einen Hüfthalter oder was für ihre Brust. Ich weiß doch nun Bescheid, was jede Frau hier braucht, ich steh doch schon den dritten Abend hier. Max sagt immer, entschließ dich endlich, Elsa, es ist ein aufgelegtes Geschäft. Und ich kann mich nicht entschließen. Verstehen Sie das, mein Herr?

PINNEBERG O ja, das verstehe ich schon. Ich werde mich auch nicht entschließen.

FRAU NOTHNAGEL Also Sie meinen, ich soll es lieber nicht tun, trotz des Geschäfts?

PINNEBERG Ja, das ist schwer zu raten. Sie müssen ja wissen, ob Sie's unbedingt nötig haben und ob es sich wirklich lohnt.

FRAU NOTHNAGEL Max wäre sehr ärgerlich, wenn ich nein sagte. Er ist überhaupt in letzter Zeit so ungeduldig zu mir, ich fürchte...

PINNEBERG Ich muß mal telephonieren. Entschuldigen Sie!

FRAU NOTHNAGEL Bitte sehr. Ich möchte Sie nicht abhalten.

Pinneberg ab.

41. Herrenkonfektionsabteilung

PINNEBERG Guten Morgen, Herr Jänecke!

JÄNECKE Sie waren wohl befreundet mit diesem – Heilbutt?

PINNEBERG Bin ich noch.

JÄNECKE So. – Wissen Sie, daß er etwas komische Ansichten hatte?

PINNEBERG Komische –?

JÄNECKE Über Nacktheit.

PINNEBERG Ja, er hat mir mal davon erzählt. Irgendein Frei-Körper-Kultur-Verband.

JÄNECKE Gehören Sie dem etwa auch an?

PINNEBERG Ich? Nein.

JÄNECKE Nein, natürlich, Sie sind ja verheiratet.

Pause.

JÄNECKE Wir haben ihn also entlassen müssen, Ihren Freund Heilbutt. Er hat da sehr häßliche Geschichten gemacht.

PINNEBERG Wieso? Das glaube ich nicht!

Jänecke lächelt nur.

JÄNECKE Lieber Herr Pinneberg, Sie besitzen keine große Menschenkenntnis. Ich sehe das oft an Ihrer Art zu verkaufen. Sehr häßliche Geschichten. Herr Heilbutt hat von sich Aktphotos auf der Straße verkaufen lassen.

PINNEBERG Was –?

JÄNECKE Es ist aber so. Es kann uns nicht zugemutet werden, einen Verkäufer zu beschäftigen, dessen Aktphotos die Kunden und vielleicht gar die Kundinnen in der Hand gehabt haben. Ich bitte Sie, bei diesem markanten Gesicht!

Herr Jänecke geht.

42. Dachwohnung

JACHMANN So – nun kommt das Beste: die Zigarre.

LÄMMCHEN Leider kommt das Beste nicht, denn hier darf wegen des Murkels nicht geraucht werden.

JACHMANN Ernst?

LÄMMCHEN Unbedingt ernst. Machen Sie es doch wie mein Mann, gehen Sie ein Weilchen vor die Tür rauf auf's Kinodach und qualmen Sie da. Ich stelle Ihnen eine Kerze raus.

JACHMANN Machen wir.

Jachmann geht mit Pinneberg aufs Dach. Sie rauchen, Pinneberg eine Zigarette, Jachmann eine Zigarre. Weil eine Zigarette schneller zu Ende ist als eine Zigarre, huscht Pinneberg zwischendurch einmal zu Lämmchen.

LÄMMCHEN Was hat er denn gesagt?

PINNEBERG Gar nichts. Er ist einfach mitgekommen.

LÄMMCHEN Hast du ihn denn zufällig getroffen?

PINNEBERG Weiß ich nicht. Ich glaube, er hat mir aufgelauert. Aber ich weiß es nicht.

LÄMMCHEN Ich finde das alles rätselhaft. Was will er bloß bei uns?

PINNEBERG Keine Ahnung. Vor allen Dingen hat er zuerst den Fimmel gehabt, ein grauer Mann läuft ihm nach.

LÄMMCHEN Wieso läuft ihm nach?

PINNEBERG Kriminalpolizei denke ich mir. Und mit Mutter ist er auch verkracht. Vielleicht hängt es damit zusammen?

LÄMMCHEN So, und er hat gar nichts weiter gesagt?

PINNEBERG Doch, daß er morgen abend mit uns ins Kino gehen will.

LÄMMCHEN Morgen abend? Will er denn hier bleiben? Er kann doch nicht hier bleiben über Nacht. Ein Bett haben wir nicht für ihn und das Wachstuchsofa ist zu kurz.

PINNEBERG Nein, natürlich kann er nicht hier bleiben. – Aber wenn er einfach bleibt?

LÄMMCHEN In einer halben Stunde nähre ich den Murkel. Und wenn du es ihm dann nicht gesagt hast, sage ich es ihm.

Pinneberg geht wieder hinauf zu Jachmann.

JACHMANN Manchmal denke ich eine Weile ganz gerne nach. Meistens rede ich ja lieber, aber ab und zu eine halbe Stunde Nachdenken ist wunderschön.

PINNEBERG Sie veräppeln mich ja.

JACHMANN Keine Spur. Ich habe eben darüber nachgedacht, wie ich wohl als kleines Kind gewesen bin.

PINNEBERG Na und –?

JACHMANN Ja, ich weiß doch nicht! Ich glaube, ich bin mir heute gar nicht mehr ähnlich.

Er pfeift.

JACHMANN Vielleicht habe ich den ganzen Tinnef falsch gemacht. Meistens bin ich ja klotzig eingebildet, wissen Sie, ich habe als Diener angefangen.

Pinneberg schweigt.

JACHMANN Na ja, es hat keinen Zweck, darüber zu reden. Dabei haben Sie vollkommen recht. Wollen wir wieder zu Ihrer Frau reingehen?

Sie gehen hinein.

JACHMANN Also, Frau Pinneberg, dies ist die verrückteste Wohnung von der Welt, ich habe schon manches erlebt, aber so was von Verrücktheit und Gemütlichkeit ... Daß die Baupolizei so was erlaubt, ist mir immer noch unfaßbar.

PINNEBERG Das erlaubt sie auch nicht. Wir wohnen hier ganz inoffiziell.

JACHMANN Inoffiziell?

PINNEBERG Na ja, die Wohnung ist natürlich keine Wohnung, das sind Lagerräume. Und daß wir hier wohnen, weiß nur der, der uns die Lagerräume vermietet hat. Offiziell wohnen wir vorn beim Tischler.

JACHMANN So, dann weiß keiner, nicht mal die Polizei, daß Sie hier wohnen?

PINNEBERG Keiner.

JACHMANN Schön. Sehr schön.

LÄMMCHEN Herr Jachmann, ich muß das Kind jetzt zur Nacht fertig machen und nähren ...

JACHMANN Lassen Sie sich nicht stören. Und das beste ist, wir gehen dann hinterher auch gleich ins Bett. Ich bin heute schrecklich rumgelaufen, ich bin müde. Ich werde mir unterdessen hier das Sofa mit Kissen und Stühlen zurechtbauen ...

Das Ehepaar sieht sich an. Dann wendet sich Pinneberg ab und tritt ans Fenster und trommelt auf den Scheiben.

LÄMMCHEN Unterstehen Sie sich! Ihr Bett mache ich Ihnen zurecht!

JACHMANN Auch gut! Dann sehe ich mir das Nähren an. So was wollte ich schon immer gerne sehen.

Mit einer zornigen Entschiedenheit nimmt Lämmchen den Sohn aus dem Bettchen und fängt an, ihn aufzubündeln.

LÄMMCHEN Kommen Sie ganz nahe heran, Herr Jachmann. Sehen Sie sich alles gut an.

Unsere letzte Hoffnung: HITLER

Schluss mit diesem System

KPD
LISTE 3

Der Murkel fängt an zu schreien.

LÄMMCHEN Sehen Sie, das sind die sogenannten Windeln. Die riechen nicht gut.

JACHMANN Das stört mich gar nicht. Ich bin im Felde gewesen und mir hat nichts und niemand den Appetit auch nur auf einen Augenblick verekeln können.

LÄMMCHEN Ach, nichts hilft bei Ihnen, Herr Jachmann. Sehen Sie, nun reiben wir den Pöter mit Öl ein, mit schönem, reinem Olivenöl.

JACHMANN Warum denn?

LÄMMCHEN Damit er nicht wund wird. Mein Sohn ist noch nie wund gewesen.

JACHMANN *träumerisch* Mein Sohn ist noch nie wund gewesen. Gott, wie das klingt! Mein Sohn hat noch nie gelogen. Mein Sohn hat mir noch nie Kummer gemacht. – Wie Sie das hinkriegen mit den Windeln, das finde ich einfach wunderbar. Ja, so was ist angeboren. Die geborene Mutter!

LÄMMCHEN Schwärmen Sie lieber nicht. Fragen Sie mal meinen Mann, wie wir den ersten Tag hier gestanden haben. So, und nun müssen Sie sich einen Augenblick umdrehen!

Sie nimmt den Bademantel um und legt das Kind an die Brust. Im gleichen Augenblick hört es auf zu schreien, von der plötzlichen Stille angezogen, drehen sich die beiden Männer um und betrachten schweigend Mutter und Kind.

JACHMANN Natürlich habe ich alles falsch gemacht. Die guten einfachen Dinge –! Die guten nahrhaften Dinge –! Alter Esel.

43. Im Kino

Jachmann, Pinneberg und Lämmchen sehen einen Film.
DER FILM Der Kassierer schläft.
– Wecker zeigt auf fünf vor sieben.
– Der Kassierer stellt schlaftrunken den Wecker um ein paar Minuten zurück. Schläft weiter.

PINNEBERG Der schläft auch bis zur letzten Minute!
- Wecker rasselt, Klöppel schlägt.
  Text: rrrrr.
- Der Kassierer steht auf. Neben ihm bleibt seine Frau liegen. Kassierer sitzt mit dünnen Beinen auf dem Bettrand.
JACHMANN Richtige Kinohelden dürfen überhaupt keine Haare an den Beinen haben.
- Kind im Kinderbett am Fußende des Ehebetts. Es ist ebenfalls aufgewacht, ruft nach dem Vater.
  Text: Pappi! Teddy!
- Kassierer bringt dem Kind den Teddy.
- Geht in die Küche. Macht Wasser heiß. Deckt den Tisch. Nimmt sich Rasierwasser aus dem Kaffeewasserkessel.
- Die junge Frau liegt rosig im Bett. Ihr Busen ist halb verdeckt.
JACHMANN Die ist ein Aas. Eine, von der man in den ersten fünf Minuten die Brust beinahe zu sehen kriegt.
- Der Frühstückstisch ist aufgedeckt. Der Mann ist rasiert. Er ruft:
  Text: Frühstück!
  Die junge Frau kommt im Morgenrock.
  Alle am Tisch. Auch das Kind.
  Der Kassierer und seine Frau lesen Zeitung.
  Die Frau liest Annoncen.
- Die Frau zeigt auf eine Annonce.
- Annoncentext: Kristallgarnitur zu verkaufen.
- Der Kassierer öffnet sein Portemonnaie, schüttet es aus: nur ein paar Groschen fallen auf den Tisch. Auch die Frau leert ihren Geldbeutel aus: nichts.
- Der Kalender an der Wand zeigt den 18. Mai.
- Der Kassierer ist verzweifelt.
- Der Kalender surrt ab bis auf den 31. Mai.
- Die Frau am Kaffeetisch.
- Der Kassierer kommt unten aus dem Haus.
- Straßenverkehr am Morgen.
- Großer Tisch mit Geldscheinen. Das Gitter darüber ist

halb geöffnet. Der Arbeitsplatz des Kassierers. Der Schalterraum ist noch leer.

– Der Kassierer hinter dem Geldhaufen. Er starrt das Geld an.

JACHMANN Das Geld! Das sehen die Leute so gerne!

– Hand des Kassierers über dem Geld. Zögernd. Die Hand sinkt. Hebt sich noch einmal.

– Der Kassierer sieht sich um –

– – und bemerkt schräg hinter sich den Volontär (Sohn des Bankdirektors), der ihn lächelnd beobachtet. Ist er gefährlich? Hat er die Gedanken des kleinen Kassierers erraten?

– In der Kantine. Der Volontär setzt sich gönnerhaft zu ihm. Fragt ihn etwas.
Text: Du brauchst Geld?
Der Kassierer sieht den Volontär verzweifelt an.

– Der Volontär öffnet seine Brieftasche, legt dem Kassierer ein paar Geldscheine hin. Der Kassierer ganz starr, unsicher.
Text: Gib es mir gelegentlich wieder.

– Blick des Volontärs.

– Geldscheine auf dem Kantinentisch. Überblenden auf –

– dieselben Scheine auf dem Wohnzimmertisch. Der Kassierer hat sie seiner Frau hingezählt, nun steht er abwartend, unsicher.

– Die Frau sitzt erstarrt auf dem Stuhl neben dem Tisch. Sieht das Geld an, dann ihren Mann.

– Der Kassierer legt die Hände auf den Rücken, ist verlegen.

– Die Frau springt auf. Umarmt ihn. Er beginnt sich zu freuen. Er setzt sich hin. Tut gelassen. Die Frau setzt sich auf seinen Schoß. Schmust.

– Sie flüstert ihm etwas zu –
Text: Für mich hast du das getan . . .!

– Sein Gesicht: er begreift. Er ist erschrocken. Dann fühlt er sich großartig, weil die Frau ihn bewundert wie nie zuvor.

- Er ist der König!
- Sie bedient ihn scherzhaft. Tut alles. Unterwürfig. Stellt ihm Pantoffeln hin. Bringt ihm das Rasierwasser. Bindet ihm die Krawatte vor dem Spiegel – scherzhafte Bewegung: aufhängen! – Er ist ihretwegen ein Verbrecher geworden, wunderbar! Kuß.
- Sie gehen eingehängt über die Straße. Sie zeigt ihm Auslagen.

LÄMMCHEN Der arme Mensch! Das kann doch nicht gut ausgehen!

- In einem Juweliergeschäft. Sie haben schon sehr viele Päckchen und Pakete bei sich.

JACHMANN Dieser Franz Schlüter ist ein sehr begabter Schauspieler.

- Der Juwelier bedient gleichzeitig noch einen anderen Kunden –
- einen seriösen älteren Herrn.
- Die Frau sieht ihren Mann an, fordert ihn mit einem Blick auf, den Schmuck zu klauen.
- Sein ängstlicher Blick: er kann es nicht. Er ist ein armer ehrlicher Mann – ein Versager.
- Ihre gute Laune ist weg.
- Im Büro. Der Kassierer sitzt nachdenklich. Der Volontär nähert sich. Fragt ihn gönnerhaft:
  Text: Du hast alles ausgegeben?
- Gesicht des Kassierers, er sagt:
  Text: Meine Frau ...
- Der Volontär ist amüsiert. Der Kassierer ist bekümmert.
- Der Kassierer:
  Text: Sie glaubt, ich habe das Geld gestohlen, – für sie! Deshalb ist sie stolz auf mich!
- Das lachende Gesicht des Volontärs.
- Der Volontär zählt Geld auf den Tisch – Banknoten.
- *Text: Deine Frau möchte ich einmal kennenlernen!*
- Variétévorstellung, ein Jongleur.
- Im Publikum: Der Kassierer, seine Frau, der Volontär. Der Volontär macht der Frau den Hof. Sie ist abwei-

send, voller Bewunderung für ihren Mann. Der Kellner bringt Sekt.
– Prost!
– Der Kassierer verläßt den Tisch, geht auf die Toilette zu.
– Der Volontär beugt sich zu der Frau hin, die ihrem Mann träumerisch nachsieht. Er flüstert ihr etwas zu. Sie sieht ihn ungläubig, erstaunt an.
– *Text: Sie glauben, Ihr Mann hat das Geld für Sie...?*
– Sie hört ihm zu.
– Der Kassierer hat sich am Spiegel bei der Toilette die Kravatte zurechtgerückt, geht nun in den Zuschauerraum zurück. Er bleibt stehen, sieht –
– das Paar, das sich jetzt einig ist. Als der Kassierer jetzt herantritt, sieht ihn seine Frau mit einem Blick tiefer Verachtung an.
– Jetzt haben sie es eilig, sie wollen aufbrechen. Der Kassierer zahlt die hohe Rechnung. Seine Frau beachtet ihn nicht.
– Sie verlassen das Lokal durch eine Drehtür.
– Auf der Straße, von hinten: da gehen sie zu dritt nebeneinander her, aber man sieht, der Kassierer hat seine Frau verloren, sie gehört dem Anderen.

44. Vor dem Kino

JACHMANN Oh, Kinder, Kinder, eigentlich ist es ein Grauen, wenn man euch so ansieht. So sollten auch die Frömmsten nicht auf jeden Kitsch reinfallen!
PINNEBERG Daß das alles nicht stimmt, das wissen wir auch recht gut, Herr Jachmann. So einen Volontär gibt es nicht, und wahrscheinlich gibt es so einen Mann auch nicht wie den kleinen Kassierer mit der Melone. Mich hat ja auch nur der Schauspieler mitgenommen, wie heißt er? Schlüter, sagen Sie –?
JACHMANN *nickt und will etwas erklären* Aber
LÄMMCHEN Ich weiß schon, was der Junge meint, und dage-

gen können Sie gar nichts sagen. Wenn das auch alles nicht stimmt und nur Kintopp ist, das ist richtig, daß unsereiner immer Angst haben muß, und daß es eigentlich ein Wunder ist, wenn es eine Weile gut geht. Und daß immerzu etwas passieren kann, gegen das man ganz wehrlos ist, und daß man immerzu staunen muß, daß es nicht jeden Tag passiert.

JACHMANN Ach, alles ist immer nur so gefährlich, wie man's werden läßt.

45. Dachwohnung

Murkel schreit.

LÄMMCHEN Der Murkel schreit.

PINNEBERG Ja. Es ist fünf Minuten nach drei.

LÄMMCHEN Das macht er doch nie. Er kann doch keinen Hunger haben.

PINNEBERG Er wird schon aufhören. Wollen sehen, daß wir weiterschlafen können.

LÄMMCHEN Ob ich nicht einmal Licht mache? Er schreit so schmerzlich.

PINNEBERG Keinesfalls! Hörst du, keinesfalls! Wir haben ausgemacht, nachts kümmern wir uns um sein Brüllen nicht, damit er weiß, im Dunkeln hat er unbedingt zu schlafen.

LÄMMCHEN Ja, aber –

PINNEBERG Keinesfalls. Wenn wir erst anfangen, können wir bald jede Nacht aufstehen. Wozu haben wir denn die ersten Nächte durchgehalten? Da hat er viel länger gebrüllt.

LÄMMCHEN Aber er brüllt so anders, er brüllt so schmerzlich.

PINNEBERG Wir müssen eben durchhalten, Lämmchen, sei vernünftig.

Sie liegen im Dunkeln und horchen auf das Schreien des Kindes.

LÄMMCHEN Vielleicht hat er Leibschmerzen?

PINNEBERG Wovon soll er Leibschmerzen haben? Und außerdem, was können wir dagegen tun? Gar nichts!

103

LÄMMCHEN Ich könnte ihm Fencheltee kochen. Das hat ihn doch immer beruhigt.

PINNEBERG Also steh auf und koch ihm Fencheltee.

Aber er steht beinahe schneller auf als Lämmchen. Er macht das Licht an und das Kind verstummt einen Augenblick, als es die Helle sieht, und fängt sofort wieder an mit Brüllen.

LÄMMCHEN Mein Murkelchen. Mein Murkelchen, tut es weh? Zeig Mama, wo es weh tut?

Auf den Armen hin und her gewiegt, schweigt der Murkel.

PINNEBERG Da siehst du es! Nur auf den Arm hat er gewollt!

Aber Lämmchen reagiert nicht, sie geht auf und ab, sie singt ein Wiegenlied.

LÄMMCHEN

Eia wiwi

Min Murkel slöpt bi mi.

Nee, dat wöllt wi anners maken.

Murkel schall bi Vadding slapen.

Eia wiwi

Murkel slöpt bi mi.

Das Kind liegt still auf ihrem Arm.

PINNEBERG So, das Wasser ist heiß. Den Tee brühst du selbst auf, ich will mich da nicht zwischen mengen.

LÄMMCHEN Halt den Jungen.

Er geht auf und ab und summt, während die Frau den Tee aufbrüht und kühlt.

PINNEBERG Hast du auch Zucker drin? Ist der Tee auch nicht zu heiß? Laß mich erst probieren. – Also, dann gib ihm meinethalben.

Aus dem Teelöffel schluckt der Murkel viele Male, manchmal läuft ein Tropfen vorbei, dann wischt ihn der Vater mit seinem Hemdärmel ab.

PINNEBERG So, jetzt ist es genug. Er ist ja ganz ruhig.

Der Murkel wird wieder in sein Bettchen gelegt.

PINNEBERG Gleich vier. Also jetzt wird es höchste Eisenbahn, daß wir ins Bett kommen, wenn wir noch ein bißchen schlafen wollen.

Das Licht geht aus. Pinnebergs schlafen sachte ein. Und

wachen wieder auf: der Murkel schreit.

PINNEBERG Also, da hast du es. Hätten wir ihn eben nicht aufgenommen! Aber nun denkt er, es muß immer so sein. Er brüllt, und wir kommen!

Lämmchen sagt kein Wort. Der Murkel brüllt.

PINNEBERG Lieblich! – Lieblich so was! Wie ich da morgen zum Verkauf frisch sein soll, ist mir etwas schleierhaft. *Und nach einer Weile, wütend:* Und ich bin sooo im Rückstand –! Gottverdammtes Gebrülle!

Lämmchen schweigt, und der Murkel brüllt. Pinneberg wirft sich hin und her.

LÄMMCHEN Junge, findest du nicht auch, daß er sehr heiß war?

PINNEBERG Habe ich nicht so drauf geachtet.

LÄMMCHEN Aber er hatte so rote Backen?

PINNEBERG Die hat er vom Brüllen.

LÄMMCHEN Nein, so scharf abgezirkelte rote Flecken. Ob er krank ist?

PINNEBERG Wovon soll er krank sein? Also mach schon Licht. Du hältst es ja doch nicht aus.

Sie machen Licht, wieder wandert der Murkel in Mamas Arm, und wieder ist er im gleichen Augenblick still.

PINNEBERG Da hast du es. So was gibt es ja gar nicht, Schmerzen, die im Augenblick aufhören, wo man ihn in den Arm nimmt.

LÄMMCHEN Faß mal seine Händchen an, die sind so heiß.

PINNEBERG Ach was! Die sind vom Schreien heiß. Was meinst du, was ich schwitzen würde, wenn ich so brüllte? Keinen trockenen Faden hätte ich am Leibe!

LÄMMCHEN Aber die Hände sind wirklich sehr heiß. Ich glaube, der Murkel ist krank.

Pinneberg befühlt die Hände, seine Stimmung schlägt um.

PINNEBERG Ja, sie sind wirklich sehr heiß. Ob er Fieber hat?

LÄMMCHEN Zu dumm, daß wir kein Fieberthermometer haben.

PINNEBERG Wir wollen uns ja ewig schon eins kaufen. Aber das Geld.

LÄMMCHEN Ja. Er hat Fieber.

PINNEBERG Geben wir ihm noch Tee?

LÄMMCHEN Ach nein, wir machen seinen kleinen Magen nur voll damit.

PINNEBERG Und ich glaub und glaub nicht daran, daß er Schmerzen hat. Der verstellt sich nur, der will getragen sein.

LÄMMCHEN Aber, Jungchen, wo wir ihn doch nie tragen!

PINNEBERG Also, paß auf: jetzt leg ihn mal ins Bett, und du wirst sehen, er schreit!

LÄMMCHEN Aber!

PINNEBERG Lämmchen, leg ihn ins Bett. Bitte, tu mir den Gefallen, leg ihn mal rein. Du sollst sehen –!

Lämmchen sieht ihn an und legt den Jungen ins Bettchen. Licht auslöschen ist dieses Mal unnötig, der Murkel brüllt sofort los.

PINNEBERG Da siehst du es! Und nun nimm ihn raus, du wirst sehen, er ist gleich wieder ruhig.

Lämmchen nimmt den Murkel wieder aus dem Bettchen: der Murkel schreit weiter. Pinneberg steht starr. Der Murkel brüllt.

PINNEBERG Da hast du es! Da hast du ihn nun ganz und gar durch das Tragen verdorben! Was dürfen wir denn nun tun für den hohen Herrn, bitte?

LÄMMCHEN Er hat Schmerzen.

Sie wiegt ihn hin und her, er wird stiller, dann weint er wieder los.

LÄMMCHEN Junge, tu mir den einen Gefallen: leg dich ins Bett, vielleicht kannst du noch einen Augenblick schlafen!

PINNEBERG Unter keinen Umständen!

LÄMMCHEN Bitte, Jungchen, tu es! Ich bin viel ruhiger, wenn du es tust. Ich kann mich ja vormittags ein Stündchen hinlegen. Aber du mußt frisch sein.

PINNEBERG Also, Lämmchen, ich leg mich hin. Aber ruf mich gleich, wenn was ist.

Es wird nichts aus dem Schlafen. Sie tragen ihn abwechselnd, sie singen, sie wiegen ihn: nichts.

PINNEBERG Es ist schrecklich.

LÄMMCHEN Wie er sich quälen muß!

PINNEBERG Was das für einen Sinn hat! So ein kleines Biest, daß es sich so quälen muß.

LÄMMCHEN Daß ich ihm gar nicht helfen kann! Mein Murkelchen, mein Murkelchen, kann ich denn gar nichts für dich tun?!

PINNEBERG Was es nur ist?

LÄMMCHEN Daß er es auch nicht sagen kann! Daß er nicht einmal zeigen kann, wo es ist! Murkelchen, zeig Mama, wo ist das Wehweh? Wo ist es?

PINNEBERG Dumm sind wir. Nichts wissen wir. Wenn wir was wüßten, könnten wir ihm vielleicht helfen.

LÄMMCHEN Und man kennt niemanden, den man fragen könnte.

PINNEBERG Also ich hol einen Arzt.
Er fängt an, sich anzuziehen.

LÄMMCHEN Du hast ja keinen Krankenschein.

PINNEBERG Der muß auch so kommen. Den liefere ich nach.

LÄMMCHEN Jetzt um fünf wird kein Arzt kommen. Die sagen alle, wenn sie Krankenkasse hören, es hat bis morgen Zeit.

PINNEBERG Der *muß* kommen!

LÄMMCHEN Jungchen, wenn du ihn hier rauf bringst in diese Wohnung, die Leiter rauf, es gibt Stunk. Der zeigt uns womöglich an, daß wir hier wohnen. Ach, der klettert gar nicht erst die Leiter rauf, der denkt, du willst ihm was tun.

PINNEBERG Na ja, recht hast du ja. Hübsch haben wir uns festgefahren, Frau Pinneberg. Sehr hübsch. Das haben wir auch nicht gedacht.

LÄMMCHEN Ach was. Sei nicht so, Junge. Das sieht jetzt alles nur so grau aus. Das wird auch wieder besser.

PINNEBERG Das ist, weil wir gar nichts sind. Wir sitzen allein. Und die andern, die genau so sind wie wir, die sitzen auch allein. Jeder dünkt sich was. Wenn wir wenigstens Arbeiter wären! Die sagen Genosse zueinander und helfen einander.

LÄMMCHEN Na, na. Wenn ich an das denke, was Vater manchmal erzählt hat und was Vater erlebt hat –!

107

Straßenbild vor einer Zeitungsfiliale in Berlin kurz vor der Verteilung des täglichen Sonderblattes mit offenen Stellen. 1931

PINNEBERG Ja, natürlich. Das weiß ich doch, gut sind die auch nicht. Aber die dürfen es sich wenigstens dreckig gehen lassen. Unsereiner, Angestellter, wir stellen doch was vor, wir sind doch was Besseres.

Der Murkel weint. Es wird hell.

LÄMMCHEN Du!

PINNEBERG Du!

LÄMMCHEN Ja, ganz schlimm ist alles nicht.

PINNEBERG Nein, solange wir uns haben.

Sie gehen wieder auf und ab.

LÄMMCHEN Nun weiß ich nicht, geb ich ihm die Brust oder geb ich sie ihm nicht? Wenn er was mit dem Magen hat?

PINNEBERG Ja. Was machst du? Es ist bald sechs.

LÄMMCHEN Ich weiß! Ich weiß! Gleich um sieben läufst du zu der Säuglingsfürsorge, das sind ja nur zehn Minuten, und da bittest du und bettelst du so lange, bis die Schwester mitkommt.

PINNEBERG Ja. Ja, es mag gehen. Ich komme dann noch immer rechtzeitig ins Geschäft.

LÄMMCHEN Und so lange lassen wir ihn hungern. Hunger kann nie schaden.

Dunkel. Wieder hell:

DIE SCHWESTER *mit Pinneberg unten an der Treppe* Nanu, in den Mastkorb? Bitte, nach Ihnen!

Sie klettert mit ihrer Ledertasche Pinneberg nach.

LÄMMCHEN Junge, willst du nicht fort? Es wird höchste Zeit fürs Geschäft!

PINNEBERG Nein, jetzt warte ich. Vielleicht muß ich was holen.

Sie wickeln den Jungen aus, und er liegt immer noch still da, sie messen seine Temperatur.

DIE SCHWESTER Nein, Fieber hat er nicht, nur etwas erhöht.

Sie gehen mit ihm ans Fenster und machen ihm den Mund auf.

LÄMMCHEN Junge, Junge, komm, komm mal schnell her! Unser Murkel hat seinen ersten Zahn bekommen!

Pinneberg kommt, er sieht in den kleinen Mund. Er sagt nichts, die beiden Frauen sehen ihn erwartungsvoll an.

SCHWESTER Na?

PINNEBERG Also davon –! Dann ist also alles in Ordnung? Der erste Zahn. Wieviel muß er denn kriegen?

DIE SCHWESTER Zwanzig.

PINNEBERG So viele! Und er brüllt immer so?

DIE SCHWESTER Das ist verschieden. Alle brüllen nicht bei allen Zähnen.

PINNEBERG Na ja. Wenn man nur Bescheid weiß.

Er lacht plötzlich.

PINNEBERG Danke, Schwester, danke. Wir haben doch keine Ahnung. Lämmchen, gib ihm schnell die Brust, sicher hat er Hunger. Und ich muß Volldampf ins Geschäft. Tjüs und Dank, Schwester! Auf Wiedersehen, Lämmchen! Mach's gut, Murkel.

46. Personalbüro bei Mandel

SPANNFUSS Also Ihr Kind, diesmal ist Ihr Kind krank geworden. Vor vier Wochen – oder waren es zehn Wochen? – haben Sie ewig gefehlt wegen Ihrer Frau. In zwei Wochen wird wahrscheinlich Ihre Großmutter sterben und in einem Monat Ihre Tante ein Bein brechen.

Er hält inne. Dann mit neuer Kraft.

Sie überschätzen das Interesse, das die Firma an Ihrem Privatleben nimmt. Ihr Privatleben ist für das Haus Mandel ohne Interesse. Legen Sie Ihre Geschichten gefälligst so, daß sie außerhalb der Geschäftsstunden erledigt werden können.

Pause.

Die Firma ermöglicht erst Ihr Privatleben, Herr! Erst kommt die Firma, noch mal die Firma, zum dritten Mal die Firma, und dann können Sie machen was Sie wollen. Sie leben von uns, Herr, wir haben Ihnen die Sorge um Ihren Lebensunterhalt abgenommen, verstehen Sie das! Sie sind ja auch Ultimo pünktlich hier unten zum Gehaltsempfang.

Pause.

Also merken Sie sich das, bei der nächsten Unpünktlichkeit fliegen Sie fristlos auf die Straße. Dann können Sie sehen, wie das Stempeln tut. Es gibt ja so viele. Wir verstehen uns, nicht wahr, Herr Pinneberg?

PINNEBERG *sieht ihn stumm an.*

SPANNFUSS Ihr Blick ist sicher sehr ausdrucksvoll, Herr Pinneberg. Aber ich möchte es doch gerne mündlich von Ihnen bestätigt hören. Wir verstehen uns?

PINNEBERG Ja, Herr Spannfuß.

47. Dachwohnung

PUTTBREESE *ruft nach oben* Die Olle will zu Ihnen.

LÄMMCHEN Guten Tag, Mama, du willst zu uns? Der Junge ist nicht da.

MIA *steht unten* Hast du die Absicht, dich von dort oben mit mir zu unterhalten? Oder willst du mir sagen, wie man zu euch raufkommt?

LÄMMCHEN Die Leiter, Mama. Grade vor dir.

MIA Ist das die einzige Möglichkeit?

LÄMMCHEN Die einzige, Mama.

MIA Na, schön. Weswegen ihr aus meiner Wohnung ausgezogen seid, möchte ich gelegentlich auch mal ganz gern erfahren. Nun, wir werden auch darüber reden.
Sie klettert hinauf.

MIA Wohnt ihr hier?

LÄMMCHEN Ja, Mama. Willst du ablegen, Mama?

MIA Nein, danke. Ich bin nur für zwei Minuten hier. Zu Besuchen liegt keine Veranlassung vor. Wo ihr mich so behandelt habt!

LÄMMCHEN Es hat uns sehr leid getan.

MIA Mir nicht. Mir nicht! Ich rede kein Wort darüber. Aber es war hübsch rücksichtslos, mich so im Stich zu lassen, plötzlich keine Hilfe im Haus. – Ein Baby habt ihr euch auch zugelegt?

LÄMMCHEN Ja, wir haben seit einem halben Jahr einen Jungen. Horst heißt er.

MIA Horst! Ein bißchen aufpassen konntet ihr natürlich nicht?

LÄMMCHEN Doch, wir konnten aufpassen, wir wollten nicht.

MIA So. Na ja. Ihr müßt es am besten wissen, ob es euch eure Verhältnisse erlauben. Ich finde es allerdings etwas gewissenlos, so ein Baby in die Welt zu setzen, auf nichts hin. Aber bitte, von mir aus ein Dutzend, wenn es Euch Spaß macht.

Sie geht zum Bett, sieht auf das Kind mit bösem Gesicht.

MIA Was ist das? Junge oder Mädel?

LÄMMCHEN Ein Junge. Horst.

MIA Also doch! Ich habe es mir gleich gedacht. Er sieht genauso wenig intelligent aus wie sein Vater. Nun, wenn es dir Spaß macht.

LÄMMCHEN *schweigt.*

MIA Mein liebes Kind –

Sie setzt sich.

MIA – es hat gar keinen Sinn, mit mir zu schmollen. Ich sage doch was ich denke. Da steht ja auch die köstliche Frisiertoilette. Scheint euer einziges Möbelstück zu bleiben. Manchmal denke ich, man müßte netter zu dem Jungen sein, er ist geistig nicht normal. Frisiertoilette!

LÄMMCHEN *schweigt.*

MIA Wann kommt Jachmann? Siehst du, ich erfahre alles, ich habe auch euren Schlupfwinkel gefunden, ich weiß alles. Wann kommt Jachmann?

LÄMMCHEN Herr Jachmann ist vor vielen Wochen ein oder zwei Nächte hier gewesen. Seitdem nicht wieder.

MIA So! Und wo ist er jetzt?

LÄMMCHEN Das weiß ich nicht.

MIA So, das weißt du nicht. Wieviel zahlt er euch, daß ihr den Mund haltet?

LÄMMCHEN Auf so etwas antworte ich nicht.

MIA Ich werde dir die Polizei schicken, mein liebes Kind. Dann wirst du schon antworten. Daß er steckbrieflich gesucht wird, der Falschspieler, der Hochstapler, das wird er euch ja wohl erzählt haben, oder hat er dir gesagt, er wohnt aus Liebe zu dir hier?

112

LÄMMCHEN *steht am Fenster, sie starrt hinaus.*

MIA Ihr werdet ja schon sehen, wie er euch reinlegt.

LÄMMCHEN Ich habe Herrn Jachmann seit über zwei Monaten nicht gesehen.

MIA Lämmchen, Lämmchen, wenn du es weißt, wo er ist, sag es mir, Lämmchen!
Pause.
Lämmchen, bitte sag es mir, wo ist er?

LÄMMCHEN Ich weiß es nicht. Ich weiß es wirklich nicht, Mama!

MIA Da! – *Sie zeigt nach den Koffern, die auf dem Schrank liegen* Das sind Jachmanns Koffer! Ich kenne die! Das sind seine Koffer! Du Lügnerin, du blonde blauäugige Lügnerin, und ich hab dir geglaubt! Wo ist er? Wann kommt er? Du hast ihn für dich behalten und der Trottel, der Hans, ist einverstanden? Lügnerin!

LÄMMCHEN Mama.

MIA Es sind meine Koffer. Er hat Schulden bei mir, Hunderte, Tausende, die Koffer gehören mir. Er wird schon kommen, wenn ich die Koffer habe!
Sie zerrt einen Stuhl an den Kleiderschrank.

LÄMMCHEN Mama!
Sie versucht sie zurückzuhalten.

MIA Läßt du mich los? Läßt du mich auf der Stelle los?! Meine Koffer sind das!
Sie steht auf dem Stuhl, sie zerrt an dem Handgriff des ersten Koffers, der Aufsatz des Schrankes ist davor.

LÄMMCHEN Er hat die Koffer hier stehen lassen!
Sie reißt. Der Schrankaufsatz bricht ab, der Koffer fällt, er stößt gegen das Bettchen, Gepolter, der Murkel fängt an zu schreien.

LÄMMCHEN Läßt du das sofort sein!
Sie läuft zu dem Kind Ich werfe dich raus!

MIA *Meine* Koffer sind es!
Sie zerrt am zweiten Koffer. Lämmchen hat das weinende Kind auf dem Arm, sie darf sich nicht aufregen.

LÄMMCHEN Laß die Koffer, Mama! Sie gehören nicht dir, sie müssen hier bleiben.

Und zum Kind, summend:
Eia wiwi, min Murkel slöpt bi mi,
Nee, dat wöllt wi anners maken,
Murkel schall bi Vadding slapen. –
Laß die Koffer, Mama.

MIA Der soll sich freuen, wenn er heute abend zu euch kommt!
Der zweite Koffer fällt.
Ah, da ist er schon!
Sie dreht sich um nach der Tür, die sich öffnet. Es ist Pinneberg, der da steht.

PINNEBERG Was ist hier los?

LÄMMCHEN Mama will die Koffer von Herrn Jachmann wegholen. Sie sagt, sie gehören ihr. Herr Jachmann hat Schulden bei ihr.

PINNEBERG Das kann Mama mit Jachmann direkt ausmachen, die Koffer bleiben hier.

MIA Natürlich, das habe ich mir so gedacht, daß du auch hierbei deiner Frau beistehst. Die Pinnebergs sind eben immer Trottel gewesen. Du solltest dich schämen, so ein Waschlappen!

LÄMMCHEN Jungchen!

PINNEBERG Jetzt wird es aber Zeit für dich, Mama. Nein, laß die Koffer ruhig los. Glaubst du, du bekommst sie gegen meinen Willen die Leiter runter? So, nun mach noch ein Schrittchen. Wenn du meiner Frau Adieu sagen willst. – Aber es ist nicht nötig.

MIA Die Polizei schicke ich euch auf den Hals!

PINNEBERG Bitte, Mama, paß auf, hier ist die Schwelle.
Die Tür klappt zu, Mia ist verschwunden.

LÄMMCHEN Hoffentlich hat es meiner Milch nicht geschadet. – Du hast es großartig gemacht, Jungchen. Das hätte ich nie von dir gedacht.

48. In der Herrenkonfektionsabteilung

DER HERR Ich grüße Sie, mein Herr! Ich grüße Sie! Darf ich

fragen, sind Sie im Besitz einiger Phantasie?

PINNEBERG Phantasiestoffe, im zweiten Stock.

DER HERR Dies nun nicht, ich frage Sie, ob Sie im Besitz von Phantasie seien? Wenn Sie beispielsweise diesen Schrank mit den Hosen betrachten, können Sie sich darauf sitzend und singend einen Stieglitz vorstellen?

PINNEBERG Schlecht.

DER HERR Schlecht. Das ist übel. Nun, mit Vögeln haben Sie in Ihrer Branche wohl auch weniger zu tun? *Er lacht. Pinneberg lächelt mit, obgleich er jetzt ängstlich wird. Hinter dem Mantelaufbau steht Herr Jänecke.*

PINNEBERG Womit kann ich Ihnen dienen?

DER HERR Dienen! Dienen! Niemand ist niemandes Diener! Aber –, ein anderes. Stellen Sie sich vor, zu Ihnen kommt ein Jüngling, aus der Ackerstraße sagen wir, mit haushoher Marie und wünscht sich einzupuppen bei Ihnen, vom Kopf bis zum Scheitel auf neu – können Sie mir wohl sagen, können Sie sich wohl denken, welche Sachen dieser Jüngling wählen würde?

PINNEBERG Das kann ich mir gut denken. So was kommt bei uns manchmal vor.

DER HERR Sehen Sie, man muß den Mut nicht gleich unter den Scheffel stellen! Sie haben also doch Phantasie! Welche Stoffe etwa würde ein solcher Jüngling aus der Ackerstraße wählen?

PINNEBERG Möglichst helle, auffallende, großkariert. Sehr weite Hosen. Die Jacketts möglichst auf Taille. Ich müßte Ihnen das mal zeigen –

DER HERR Ausgezeichnet. Ganz ausgezeichnet. Und zeigen sollen Sie mir das jetzt. Dieser junge Mann aus der Ackerstraße hat wirklich sehr viel Geld und will sich völlig neu einpuppen.

PINNEBERG Bitte!

DER HERR Einen Augenblick, damit Sie sich ein Bild machen. Sehen Sie, so kommt der Jüngling aus der Ackerstraße zu Ihnen – *Der Herr sieht ganz verändert aus. Er hat jetzt ein freches, lasterhaftes Gesicht. Aber es ist feige und angstvoll, die*

115

Schultern sind eingezogen, der Hals zu kurz geworden – ist
irgendwo in der Nähe der Gummiknüppel eines Polizisten?

DER HERR Und nun so, wenn er den guten Anzug am Leib
hat –!

Plötzlich hat sich das Gesicht verändert. Man kann nett
sein, man kann es sich leisten.

PINNEBERG Sie sind, Sie sind Herr Schlüter! Ich habe Sie im
Film gesehen! Oh Gott, daß ich das nicht gleich gemerkt
habe!

DER HERR Na also! In welchem Film haben Sie mich denn
gesehen?

PINNEBERG Wie hieß er doch? Wissen Sie, Sie haben einen
Bankkassierer gemacht, und Ihre Frau denkt, Sie unter-
schlagen Geld für sie und in Wirklichkeit gibt es Ihnen der
Volontär, der ist Ihr Freund –

DER SCHAUSPIELER Die Handlung kenne ich schon. Also hat
es Ihnen gefallen? Schön. Und was von mir hat Ihnen am
besten gefallen?

PINNEBERG Wissen Sie, so viel! Aber vielleicht war doch am
schönsten, wissen Sie, wie Sie da an den Tisch zurück-
kommen, Sie sind auf der Toilette gewesen.

Der Schauspieler nickt.

Und unterdessen hat der Volontär Ihrer Frau erzählt, Sie
haben gar kein Geld unterschlagen, und die lachen Sie
aus. Und plötzlich werden Sie ganz klein und fallen zusammen, schrecklich war das.

SCHAUSPIELER So, das war das Schönste. Und warum war es
das Schönste?

PINNEBERG Weil –, ach, wissen Sie, es war mir so, bitte lachen Sie nicht, es war so wie wir. Verstehen Sie, uns kleinen Leuten geht es nicht sehr gut jetzt, und manchmal ist
es so, als grinste uns alles an, das ganze Leben, verstehen
Sie, und man wird so klein.

DER SCHAUSPIELER Die Stimme des Volkes. Aber jedenfalls
ehrt es mich ungemein, Herr – wie ist doch Ihr Name?

PINNEBERG Pinneberg.

DER SCHAUSPIELER Die Stimme des Volkes, Pinneberg. Also
schön, Mann, und nun gehen wir zum Ernst des Lebens

über und suchen den Anzug aus. Was die mir im Fundus gezeigt haben, ist alles Quatsch. Nun werden wir sehen –

Eine halbe Stunde wühlen Sie in den Sachen.

DER SCHAUSPIELER Sehr gut, der Mann! Sehr gut, der Mann Pinneberg.

Schließlich haben sie alles angesehen und probiert.

PINNEBERG Was darf ich nun aufschreiben, Herr Schlüter?

DER SCHAUSPIELER Aufschreiben? Ja, wissen Sie, ich wollte eigentlich nur mal sehen. Kaufen tu ich es natürlich nicht. Machen Sie nicht so ein Gesicht. Sie haben ein bißchen Arbeit davon. Ich schicke Ihnen Karten für die nächste Premiere. Haben Sie eine Braut? Ich schicke Ihnen zwei Karten.

PINNEBERG Herr Schlüter, ich bitte Sie, bitte kaufen Sie die Sachen! Sehen Sie, Sie haben so viel Geld, Sie verdienen so viel, bitte kaufen Sie! Wenn Sie jetzt weggehen und haben nichts gekauft, dann heißt es, ich habe die Schuld, und dann werde ich entlassen.

DER SCHAUSPIELER Sie sind ja komisch. Wie komme ich denn dazu, die Sachen zu kaufen? Ihretwegen? Wer schenkt denn mir was?

PINNEBERG Herr Schlüter! Ich habe Sie im Film gesehen, Sie haben das gespielt, den armen kleinen Mann. Sie wissen, wie unsereinem zumute ist. Sehen Sie, ich habe auch Frau und Kind. Das Kind ist noch ganz klein, es ist jetzt noch so fröhlich, wenn ich entlassen werde –!

DER SCHAUSPIELER Ja, mein lieber Gott, das sind ja eigentlich Ihre Privatsachen. Ich kann doch nicht die Anzüge, die ich nicht brauchen kann, darum kaufen, damit Ihr Kind fidel ist.

PINNEBERG Herr Schlüter! Tun Sie es mir zuliebe. Ich habe eine Stunde mit Ihnen verhandelt. Kaufen Sie wenigstens den einen Anzug. Es ist reiner Cheviot, der trägt sich, Sie werden zufrieden sein!

DER SCHAUSPIELER Nun hören Sie aber allmählich auf, das wird langweilig, dies Affentheater.

PINNEBERG Herr Schlüter!

Pinneberg legt die Hand auf den Arm des Schauspielers, der gehen will.

PINNEBERG Wir haben von der Firma eine Quote, wir müssen für soundsoviel verkaufen, sonst werden wir entlassen. Mir fehlen noch fünfhundert Mark. Bitte kaufen Sie was. Sie wissen doch, wie uns zumute ist! Sie haben es doch gespielt!

Schlüter nimmt die Hand des Verkäufers von seinem Arm.

DER SCHAUSPIELER Hören Sie mal, Jüngling, das verbitte ich mir, daß Sie mich hier anfassen. Das geht mich einen Dreck an, was Sie mir da erzählen.

Plötzlich ist Herr Jänecke da.

JÄNECKE Bitte sehr! Ich bin der Abteilungsleiter.

DER SCHAUSPIELER Ich bin der Schauspieler Franz Schlüter.

Herr Jänecke verbeugt sich.

DER SCHAUSPIELER Komische Verkäufer haben Sie hier. Die notzüchtigen einen ja, damit man Ihnen Ihr Zeugs abkauft. Der Mann behauptet, Sie zwingen ihn dazu. Man müßte darüber schreiben, in den Zeitungen, das sind ja Erpressermethoden!

JÄNECKE Der Mann ist ein ganz schlechter Verkäufer. Er ist schon mehrfach verwarnt. Ich bedaure außerordentlich, daß Sie gerade an ihn geraten sind. Wir werden den Mann nun entlassen, er ist unbrauchbar.

DER SCHAUSPIELER Das ist ja nun nicht gerade nötig, mein lieber Herr. Das verlange ich gar nicht. Allerdings hat er mich angefaßt –

JÄNECKE Er hat Sie angefaßt? Herr Pinneberg, gehen Sie sofort auf das Personalbüro und lassen Sie sich Ihre Papiere geben. Schafft er's eben nicht, das ist nicht so schlimm. Ein unfähiger Mann, ich bitte tausendmal um Entschuldigung, Herr Schlüter.

49. *Revue: Was braucht der Berliner, um glücklich zu sein?*

Lied:
Wenn die Roller wieder flitzen

Dir erst mang die Beene mang,
Und die Kegelbrüder schwitzen
Uff'n Kremser mit Jesang,
Wenn der Wurstmax seine Wiener
Wieder los wird wie noch nie:
Mensch, dann ziehen die Berliner
Mensch, dann ziehen die Berliner
Nach de Laubenkolonie,
Nach de Laubenkolonie.

Wat braucht der Berliner, um glücklich zu sein?
Ne Laube, 'n Zaun und 'n Beet.
Wat braucht der Berliner 'n Heurigen Wein,
Wenn vor ihm sein Weißbierglas steht.
Ne dicke Zigarre mang die Lippen jeklemmt,
Zwee Mann zum Skat im frischjewaschnen Hemd,
Dazu eenen Kümmel und's nötige Schwein,
Det braucht der Berliner, um glücklich zu sein.

Wenn der Sonntag dann vorbei ist,
Kriecht Mutter ärgerlich in't Bett,
Weil ihr det nich einerlei ist,
Det ihr Oller wieder fett.
Aber alltags ist det Leben bunter,
Und sie schuftet wat sie kann:
Mensch, bald is se wieder munter,
Mensch, bald is se wieder munter,
Dann fängt ihr Vajnüjen an,
Dann fängt ihr Vajnüjen an.

Wat braucht die Berlinerin, um glücklich zu sein?
Ihr Kino, ihr'n Zirkus und 'n Zoo;
Wat braucht die Berlinerin 'n Heurigen Wein?
Ihr Kaffee, der macht se schon froh.
Und zweimal im Jahr da muß sie uff die Inventur,
Und manchmal mit Maxen och uff de kesse Tour,
Und dann mal mit Justav so'n kleenet Stelldichein,
Det braucht die Berlinerin, um glücklich zu sein.

50. Laube im Winter. Nacht

KRYMNA *klopft* Pinneberg! Kommst du mit, Pinneberg?
Pinneberg springt auf, einen Augenblick steht er zweifelnd.
PINNEBERG Also –
Lämmchen antwortet nicht.
KRYMNA Pinneberg! Mensch! Penner!
Pinneberg tastet sich im Finstern auf die Veranda, durch die Glasscheiben sieht er den dunklen Umriß des anderen.
KRYMNA Na endlich! Kommst du mit oder nicht?
PINNEBERG Ich – Ich möchte –
KRYMNA Also nein.
PINNEBERG Versteh schon, Krymna, ich würde, aber meine Frau –! Du weißt doch, Frauen –
Draußen brüllt Krymna.
KRYMNA Also nein! Denn nicht! Gehen wir eben alleine!
Pinneberg sieht ihm nach. Dann quietscht die Gartentür, Krymna ist von der Nacht verschluckt.
LÄMMCHEN Laß ihn wütend sein. So etwas fangen wir gar nicht erst an.
PINNEBERG Weißt du, passieren kann einem nichts. Die gehen doch immer zu sechs, acht Mann, wenn sie Holz holen. Da traut sich kein Förster ran.
LÄMMCHEN Ganz egal, wir tun so etwas nicht und wir tun es eben nicht.
PINNEBERG Und woher nehmen wir das Geld für Kohlen?
LÄMMCHEN Heute habe ich wieder bei Krämers den ganzen Tag Strümpfe zu stopfen. Macht drei Mark. Und vielleicht kann ich morgen zum Wäscheausbessern zu Rechlins. Wieder drei Mark. Und in der nächsten Woche sind auch schon wieder drei Tage vergeben. Ich komme gut in Gang hier.
PINNEBERG Es ist so mühsame Arbeit. Neun Stunden Strümpfe stopfen und so kleines Geld.
LÄMMCHEN Die Kost mußt du auch rechnen. Bei Krämers kriege ich reichlich. Da bringe ich euch noch zu Abend was mit.
PINNEBERG Du sollst dein Essen selbst essen.

LÄMMCHEN Reichlich kriege ich bei Krämers.

Nun wird es ganz hell, die Sonne ist aufgegangen. Er bläst
die Lampe aus. Sie setzen sich an den Kaffeetisch.

LÄMMCHEN Wenn du heute zur Stadt gehst, könntest du ein
Viertelpfund gute Butter mitbringen. Ich glaube, immer
Margarine ist nicht gut für den Murkel. Er kriegt die
Zähne zu schwer.

PINNEBERG Ich muß aber dem Puttbreese heute auch seine
sechs Mark bringen.

LÄMMCHEN Das mußt du. Vergiß es nur nicht.

PINNEBERG Und Heilbutt muß seine zehn Mark Miete kriegen. Übermorgen ist der Erste.

LÄMMCHEN Richtig.

PINNEBERG Und da ist die Krisenunterstützung alle. Ich habe
grade noch Fahrgeld.

LÄMMCHEN Ich gebe dir noch fünf Mark mit. Ich krieg ja
heute wieder drei. Dann holst du die Butter und dann
siehst du, daß du am Alex Bananen zu fünf Pfennig
kriegst. Hier nehmen die Räuber fünfzehn. Wer das bezahlen soll!

PINNEBERG Tu ich, sieh zu, daß du nicht so spät kommst, daß
der Junge nicht so lange allein ist.

LÄMMCHEN Du fährst doch um eins?

PINNEBERG Ja, um zwei bin ich auf dem Arbeitsamt dran.

LÄMMCHEN Ungemütlich ist es ja, wenn der Murkel so allein
in der Laube ist. Aber es hat ja immer geklappt.

PINNEBERG Bis es mal nicht klappt.

LÄMMCHEN So was mußt du nicht sagen. Warum sollen wir
immer nur Unglück haben? Wo ich jetzt die Flickerei und
Stopferei habe, geht es uns doch gar nicht schlecht.

PINNEBERG Ich habe dich nicht geheiratet, daß du mich ernähren sollst.

LÄMMCHEN Tu ich auch gar nicht, von meinen drei Mark?
Unsinn!

Sie überlegt.

Hör mal zu, Junge, du könntest mir was helfen. Es ist nicht
sehr angenehm, aber es wäre mir eine große Hilfe!

PINNEBERG Ja? Alles!

121

LÄMMCHEN Ich habe doch vor drei Wochen bei Rusch in der Gartenstraße geflickt. Zwei Tage sechs Mark. Das Geld habe ich noch immer nicht.

PINNEBERG Soll ich hingehen?

LÄMMCHEN Ja, aber du darfst keinen Krach machen, das mußt du mir versprechen.

PINNEBERG Nein, nein, ich will das Geld schon so kriegen.

LÄMMCHEN Schön, dann bin ich eine Last los. – Und nun muß ich weg. Tjüs, mein Junge. Tjüs, Murkelchen.

51. Vor einer Villa

Pinneberg zieht die Klingel. Dann merkt er langsam, daß sich niemand auf sein Klingeln rührt; er klingelt wieder. Jetzt geht ein Fenster in der Villa auf, eine Frau sieht heraus.

DIE FRAU *ruft* Was wollen Sie denn? Wir geben nichts!

PINNEBERG Meine Frau ist bei Ihnen zum Flicken gewesen. Ich will die sechs Mark holen.

DIE FRAU Kommen Sie morgen wieder.

Sie macht das Fenster zu. Pinneberg steht ein Weilchen und überlegt, der Murkel sitzt still in seinem Wagen. Dann drückt Pinneberg den Klingelknopf wieder, er setzt seinen Ellenbogen fest auf den Klingelknopf. So steht er eine Zeitlang, manchmal kommen Leute vorbei und sehen ihn an. Aber er bleibt stehen, und der Murkel tut keinen Mucks.

DIE FRAU Wenn Sie nicht sofort von der Klingel fortgehen, rufe ich den Landjäger an.

Pinneberg nimmt den Ellbogen vom Klingelknopf und schreit zurück.

PINNEBERG Das tun Sie man! Dann sage ich dem Landjäger –

Aber das Fenster ist schon wieder zu, und so fängt Pinneberg wieder an zu klingeln. Die Haustür geht auf und die Frau kommt auf ihn zu. Sie ist wütend. Sie hat zwei Doggen an der Leine.

DIE FRAU Ich lasse die Hunde los. Wenn Sie nicht sofort machen, daß Sie wegkommen!

PINNEBERG Sechs Mark kriege ich von Ihnen.

DIE FRAU Sie werden wohl warten gelernt haben.

PINNEBERG Hab ich.

DIE FRAU Sie sind doch arbeitslos, das sieht man doch. Ich zeige Sie an. Den Nebenverdienst von Ihrer Frau müssen Sie melden, das ist Betrug.

PINNEBERG Schön.

DIE FRAU Einkommensteuer und Krankenkasse und Invalidengeld zieh ich Ihrer Frau auch noch ab.

PINNEBERG Das tun Sie, dann bin ich morgen hier und verlange die Quittungen von Finanzamt und Krankenkasse zu sehen.

DIE FRAU Ihre Frau soll mir noch einmal kommen nach Arbeit!

PINNEBERG Macht sechs Mark!

DIE FRAU Sie sind der unverschämteste Flegel! Wenn mein Mann nur da wäre!

PINNEBERG Er ist aber nicht da.

Die Frau wirft ihm das Geld durchs Gitter.

PINNEBERG Ich danke auch schön.

MURKEL Gä! Gä!

PINNEBERG Ja, Geld! Geld, Murkelchen, und jetzt gehen wir nach Haus.

52. Bei Puttbreese

PINNEBERG Guten Tag, Meister. Hier ist das Geld.

PUTTBREESE Sechs Mark. Sind noch zweiundvierzig Rest. Aber die junge Frau ist in Ordnung.

PINNEBERG Die ist in Ordnung.

PUTTBREESE Das sagen Sie, als wenn Sie sich darauf was einbilden könnten. Aber Sie müssen sich darauf nichts einbilden, mit Ihnen hat das nichts zu tun.

PINNEBERG Ich bilde mir auch nichts ein. Post gekommen?

PUTTBREESE Post! Für Sie Post! Wohl ein Stellenangebot? Ein Mann ist dagewesen.

PINNEBERG Ein Mann?

PUTTBREESE Ein Mann, jawohl, junger Mann. Jedenfalls denke ich, es war ein Mann. – Ruhe in der Stadt?

PINNEBERG Wieso Ruhe in der Stadt?

PUTTBREESE Die Schupo hat's mal wieder mit den Kommunisten. Oder den Nazis. Die haben ein Schaufenster eingeschlagen in der Stadt. Nichts gesehen?

PINNEBERG Nein. Habe nichts gesehen. – Was wollte der Mann?

PUTTBREESE Keine Ahnung. – Sie sind kein Kommunist?

PINNEBERG Ich, nein.

PUTTBREESE Komisch. Wenn ich Sie wäre, ich wäre Kommunist.

PINNEBERG Sind Sie Kommunist, Meister?

PUTTBREESE Ich? Keine Bohne. Ich bin doch Handwerker, wie kann ich da Kommunist sein?

PINNEBERG Ach, so. Was hat denn der Mann gewollt?

PUTTBREESE Welcher Mann? Lassen Sie mich zufrieden mit dem Kerl. Gequatscht hat er hier eine halbe Stunde. Ihre Adresse habe ich ihm gegeben.

PINNEBERG Die draußen?

PUTTBREESE Jawohl, junger Mann, die draußen. Die drinnen kannte er schon, weil er nämlich hierher kam.

PINNEBERG Aber wir hatten ausgemacht –

PUTTBREESE Geht in Ordnung, junger Mann. Die Frau wird einverstanden sein. In Ihrer Laube haben Sie keine Leiter, was? Ich käme sonst mal raus. Feine Schinken hat Ihre Frau.

PINNEBERG Ach, Sie können mir – Sagen Sie mir nun endlich, was der Mann gewollt hat?

PUTTBREESE Machen Sie sich doch den Kragen ab. Das Ding ist ja ganz dreckig. Über'n Jahr arbeitslos und läuft noch mit 'nem Gipsverband. Solchen ist wirklich nicht zu helfen.

53. Revue: Heilbutt gehts gut

*Eine große Marmortreppe, oben ein überdimensionaler
Schreibtisch. Podeste, auf denen nackte Damen und Herren posieren; als Amazonen, als Speerwerfer, zu zweit als
»Der Kuß«, als Gruppe »Der Sonne entgegen«, in gewagter Stellung als »Satyrspiel« usw. Photographen. Heilbutt
ist jetzt Chef eines florierenden Unternehmens, das Aktphotos herstellt und verkauft.*
*Drei nackte Damen nehmen ihn in ihre Mitte und steppen
mit ihm auf dem Schreibtisch. Pinneberg kommt. Verlegen
geht er die Treppe hinauf.*

HEILBUTT Ja, du siehst dich um. Ich hab mich 'n bißchen ver-
größert. Man muß schon.

Er springt vom Schreibtisch.

PINNEBERG Ich finde es fabelhaft.

HEILBUTT Ist es schon sehr kalt draußen?

PINNEBERG Nein, nein, nicht sehr. Der kleine Ofen heizt sehr
gut. Und die Räume sind ja nur klein, es ist meistens mol-
lig. Hier ist die Miete, Heilbutt.

HEILBUTT Ach so, ja, richtig, die Miete. Ist es schon wieder
soweit? Ich wollte dich bitten, es wäre mir doch leid, wenn
das Häuschen da draußen verkäme. Seid so freundlich
und heizt den ganzen Tag, daß die Wände gut austrock-
nen. Ich gebe dir erst einmal diese zehn Mark.

PINNEBERG Nein, nein, du sollst das nicht, Heilbutt. Du gibst
mir jedes Mal die Miete wieder. Du hast uns genug geholfen, schon bei Mandel.

HEILBUTT Aber Pinneberg! Helfen – das ist doch in meinem
Interesse, das Teeren vom Dach und das Heizen. Von
Helfen kann gar keine Rede sein. Du hilfst dir schon
selbst.

54. Kudamm

*Eine große Delikatessenhandlung, strahlend erleuchtet,
Pinneberg drückt sich die Nase platt an der Scheibe.*

SCHUPO Gehen Sie weiter!

Pinneberg fährt zusammen, er hat einen Schreck bekom-
men, er sieht sich um. Ein Schupo steht neben ihm.

SCHUPO Sie sollen weitergehen, Sie, hören Sie!

Pinneberg ist völlig verwirrt.

PINNEBERG Wie? Aber warum –? Darf ich denn nicht –?

SCHUPO Machen Sie jetzt? Oder soll ich –?

Er hebt den Knüppel ein wenig an. Alle Leute starren auf
Pinneberg.

SCHUPO Wird's was?

Plötzlich begreift Pinneberg alles, angesichts dieses
Schupo, dieser ordentlichen Leute, dieser blanken Scheibe
begreift er, daß er draußen ist, daß er hier nicht mehr her-
gehört, daß man ihn zu Recht wegjagt: ausgerutscht, ver-
sunken, erledigt. Armut ist nicht nur Elend, Armut ist auch
strafwürdig, Armut ist Makel, Armut heißt Verdacht.

SCHUPO Soll ich dir Beine machen? Hau ab, Mensch! Mach
ein bißchen dalli!

Pinneberg setzt sich in Bewegung.

Der Schupo gibt ihm einen Stoß.

SCHUPO Da lang, Mensch!

PINNEBERG Aber ich muß –

SCHUPO Da lang, sage ich, hau ab, aber ein bißchen fix, alter
Junge!

Er gibt Pinneberg einen kräftigen Stoß. Pinneberg läuft
weg.

55. Revue: Kleiner Mann was nun?

Sängerin und Girls
Lied:

Kleiner Mann was nun,
Kleiner Mann was tun,
Wenn einmal die Sonne nicht scheinen will,
Wenn du traurig bist,
Weil dich das Glück vergißt,
Und dein Herz betrübt ist und weinen will.

Dann denke immer daran,
Wie's morgen anders sein kann,
Wenn sich die Wolken verziehn
Und neue Hoffnungsblumen blühn.
Drum Kopf hoch
Kleiner Mann faß Mut,
Alles wird och gut
Und du wirst mit neuer Kraft durchs Leben ziehn.

56. Laube

Ein Auto wartet bei der Laube. Jachmann und Lämmchen
in der Laube.

LÄMMCHEN Ich verstehe wirklich nicht, wo der Junge bleibt,
der ist sonst immer spätestens um acht hier.

JACHMANN Wird schon kommen. Wie ist denn der junge
Vater, junge Mutter?

LÄMMCHEN Ach Gott! Er hat's ja nicht leicht. Wenn man seit
vierzehn Monaten arbeitslos ist.

JACHMANN Kommt auch wieder anders. Jetzt besiedle ich ja
wieder die hiesigen Gefilde, da wird sich schon was finden. Rätselhaft, wie so'n Vater fortbleiben kann, wenn
ihm das im Bett liegt.

LÄMMCHEN Ach Gott, Herr Jachmann, natürlich ist der
Murkel herrlich, aber das ganze Leben nur auf das Kind
stellen –? Sehen Sie, ich geh am Tag nähen.

JACHMANN Das sollen Sie aber nicht! Das hört jetzt auf!

LÄMMCHEN Sagen Sie, Jachmann, soll denn das ewig so weitergehen, daß die Männer zu Haus sitzen und machen die
Hausarbeit und die Frauen arbeiten. Es ist doch unmöglich.

JACHMANN Wieso ist denn das unmöglich? Im Kriege haben
ja auch die Frauen die Arbeit gemacht und die Männer
haben einander totgeschlagen, und jeder hat's in Ordnung
gefunden. Diese Regelung ist sogar noch besser.

LÄMMCHEN Nicht jeder hat's in Ordnung gefunden.

JACHMANN Na, fast jeder, junge Frau. Der Mensch ist so, er

lernt nichts zu, er macht immer wieder dieselben Dumm-
heiten. Ich auch. Ich zieh nämlich auch wieder zu Ihrer
Schwiegermutter.

LÄMMCHEN Ja, Herr Jachmann, Sie müssen's ja wissen.
Vielleicht ist es auch gar nicht dumm.

JACHMANN Natürlich ist es dumm. Saudumm ist es! Sie wis-
sen ja gar nichts, junge Frau! Sie haben ja keine Ahnung!
Aber lassen Sie man.
Er versinkt in Nachdenken.

LÄMMCHEN Sie müssen nicht warten, Herr Jachmann. Der
Zehn-Uhr-Zug ist jetzt auch durch. Ich glaube wirklich,
der Junge ist heute nacht ausgerutscht.

JACHMANN Machen Sie sich Sorgen, Lämmchen?

LÄMMCHEN Natürlich mache ich mir Sorgen. Sie werden
nachher schon sehen, was die in zwei Jahren aus meinem
Mann gemacht haben. Und er ist doch wirklich ein an-
ständiger Kerl.

JACHMANN Ist er.

LÄMMCHEN Wenn er nun auch noch mit Trinken anfängt!

JACHMANN Tut er nicht.

LÄMMCHEN Der Halbelf-Uhr-Zug ist auch durch. Jetzt bekomme ich Angst.

JACHMANN Müssen Sie nicht. Pinneberg beißt sich durch.

LÄMMCHEN Durch was? Das stimmt ja alles nicht, was Sie
sagen, Jachmann. Das ist ja nur Trost. Das ist ja gerade
das Schlimmste, daß er hier draußen sitzt und nichts hat,
worum er kämpfen kann. Er kann nur warten – worauf?
Auf gar nichts!

JACHMANN Sie müssen nicht immerzu an die Bahn denken,
Lämmchen, Ihr Mann kommt wieder, der kommt bestimmt wieder.

LÄMMCHEN Es ist nicht nur das Trinken, trinken wäre
schlimm, aber nicht sehr schlimm. Aber sehen Sie, er ist
ja so kaputt, irgendwas kann ihm passieren – er war
heute bei dem Puttbreese, der kann gemein zu ihm gewesen sein, so was schmeißt ihn um heute. Er kann nicht
mehr viel aushalten heute, Jachmann, er kann –
Jachmann ist aufgestanden, er faßt sie an den Schultern.

128

JACHMANN Nicht, junge Frau, nicht! Das gibt es nicht. Das tut er nicht.

LÄMMCHEN Das gibt es alles.

LÄMMCHEN *macht sich frei* Sie fahren besser nach Hause. Wir sind nun einmal im Unglück.

JACHMANN Ich bin im Moment nicht sehr flüssig. Aber achtzig Mark, vielleicht neunzig Mark, würde ich Ihnen gerne geben. *Er verbessert sich* Leihen, pumpen meine ich.

LÄMMCHEN Es ist nett von Ihnen, Jachmann, wir könnten es brauchen. Aber wissen Sie, Geld hilft nichts. Durch kommen wir schon. Geld hilft zu gar nichts. Arbeit würde helfen, ein bißchen Hoffnung würde dem Jungen helfen. Geld? Nein.

JACHMANN Ist es, weil ich wieder zu Ihrer Schwiegermutter gehe?

LÄMMCHEN Auch, auch. Ich muß alles weghalten von ihm, das ihn noch mehr quält, Jachmann. Das verstehen Sie doch.

JACHMANN Versteh ich.

LÄMMCHEN Aber in der Hauptsache ist es, weil es ja nichts hilft, das Geld. Ein bißchen besser durch sechs, acht Wochen leben, was ändert das? Nichts.

JACHMANN Vielleicht kriege ich 'ne Stellung für ihn.

LÄMMCHEN Ach, Herr Jachmann, Sie meinen es ja gut. Aber geben Sie sich keine Mühe, wenn es jetzt wieder kommt, darf es nicht wieder mit Schwindel und Lüge kommen. Der Junge muß raus aus der Angst, muß sich wieder frei fühlen.

JACHMANN Ja – Wenn Sie heute auch noch solchen Luxus wollen, ohne Schwindel und Lüge –, das kann ich freilich nicht!

LÄMMCHEN Sehen Sie, die andern stehlen sich hier Holz für die Feuerung. Wissen Sie, ich finde es gar nicht schlimm, aber ich habe zu dem Jungen gesagt, du darfst das nicht. Er soll nicht runter, Jachmann, er soll nicht! Das soll er behalten. Luxus – ja, vielleicht, aber das ist unser einziger Luxus, den halt ich fest, da passiert nichts, Jachmann. Es ist nicht das Holz, Jachmann, es sind nicht die Gesetze –

was sind denn das für Gesetze, daß sie uns alles straflos zerschlagen dürfen, und wir sollen wegen drei Mark Holz ins Kittchen –? Da lach ich drüber, Jachmann, das ist keine Schande!

JACHMANN Junge Frau.

LÄMMCHEN Aber der Junge kann's nicht. Der ist wie sein Vater, der hat nichts von seiner Mutter. Mama hat es mir ja zehnmal erzählt, was für ein Püttjerhannes sein Vater gewesen ist. Wie er losgelaufen ist am Abend, wenn am Morgen eine Rechnung gekommen war, und hat sie sofort bezahlt. »Wenn ich sterbe«, hat er gesagt, »und die Rechnung kommt weg, kann einer sagen, ich bin ein unehrlicher Mann gewesen«. Genauso ist der Junge. Und darum ist es kein Luxus, Jachmann. Und dafür passe ich auf, Jachmann, deswegen nimmt er keine Stellung wieder an, die auf Schwindel aufgebaut ist.

JACHMANN Was tu ich noch hier? Hier ist alles richtig. Ihr Kram ist in Ordnung. Sie sind richtig, junge Frau, Sie sind goldrichtig. Ich fahr nach Haus. *Aber er fährt nicht, er steht nicht einmal auf von seinem Stuhl* Heute morgen sechs Uhr, Lämmchen, bin ich aus dem Kittchen entlassen worden, ich hab ein Jahr abgerissen, junge Frau. Und wissen Sie auch, wer mich angezeigt hat?

LÄMMCHEN Mama, nicht wahr?

JACHMANN Natürlich Mama. Frau Marie, genannt Mia Pinneberg. Wissen Sie, Lämmchen, ich war ein bißchen fremdgegangen, und Mama ist ein Teufel, wenn sie eifersüchtig ist.

LÄMMCHEN Und nun gehen Sie wieder zu ihr? Aber ich verstehe es schon. Sie gehören zusammen.

JACHMANN Richtig, junge Frau. Wir gehören zusammen. Wissen Sie, sie ist doch eine herrliche Frau. Ich mag das sehr, daß sie so gierig ist und so egoistisch. – Wissen Sie, daß Mama über dreißigtausend Mark auf der Bank hat?

LÄMMCHEN Was? Über dreißigtausend?

JACHMANN Was denken Sie denn? Mama ist doch klug. Mama baut doch vor, Mama denkt doch ans Alter, Mama will auf niemanden angewiesen sein. Nein, ich geh wieder

130

zu ihr. Für einen wie mich ist sie der beste Kamerad von der Welt, durch dick und dünn, Pferdestehlen und alles. *Er steht auf.*

Also, gute Nacht, Lämmchen, ich fahre dann.

LÄMMCHEN Gute Nacht, Jachmann, und daß es Ihnen recht, recht gut geht!

JACHMANN Die Sahne ist ja doch weg, Lämmchen, wenn man an die Fünfzig kommt. Blaue Milch, Magermilch, Gelabber. Und Sie kommen ja wohl wirklich nicht für mich in Frage, Lämmchen?

LÄMMCHEN Nein, Jachmann, wirklich nicht. Der Junge und ich.

JACHMANN Also machen Sie sich keine Angst um den Jungen! Der kommt. Der ist gleich hier! Tjüs, Lämmchen, und vielleicht auf Wiedersehen!

LÄMMCHEN Auf Wiedersehen, Jachmann, bestimmt auf Wiedersehen! Wenn's uns besser geht. So, und nun vergessen Sie Ihre Koffer nicht. Die waren doch die Hauptsache.

JACHMANN Die waren die Hauptsache, junge Frau. Richtig wie immer. Goldrichtig.

Er fährt ab. Stille. Pinneberg steht im Dunkeln zwischen den Büschen. Die Laube ist hell.

LÄMMCHEN *fragt in die Dunkelheit* Junge, bist du das?

PINNEBERG Ist er weg?

LÄMMCHEN Ja, Jachmann ist weg. Hast du lange hier gewartet?

Pinneberg antwortet nicht.

LÄMMCHEN Gehen wir rein? Mir wird kalt.

Er antwortet nicht. Er traut sich nicht ans Licht.

LÄMMCHEN Jachmann hat nur seine Koffer geholt. Er kommt nicht wieder. Ich habe doch heute bei Krämers gestopft, nicht wahr?

Er antwortet nicht.

LÄMMCHEN Das heißt, ich habe nicht gestopft. Sie hatte einen Stoff da, ich habe ihn ihr zugeschnitten und nähe ihr ein Hauskleid. Sie ist sehr zufrieden, sie will mir ihre alte Nähmaschine billig lassen und mich all ihren Bekannten empfehlen. Für ein Kleid machen krieg ich acht Mark, vielleicht sogar zehn.

Sie wartet.

LÄMMCHEN Wir können vielleicht gut Geld verdienen. Wir sind vielleicht raus aus dem Dreck.

Er macht eine Bewegung, aber dann steht er wieder still und sagt nichts.

LÄMMCHEN Der Murkel hat heute nachmittag immer nach dir gefragt. Er sagt plötzlich nicht mehr Pepp-Pepp, er sagt Pappo.

Pinneberg sagt nichts.

LÄMMCHEN O Junge. Junge! Was ist denn? Sag doch ein Wort zu deinem Lämmchen! Bin ich denn nichts mehr? Sind wir denn ganz allein?

Er kommt nicht näher, er sagt nichts. Sie geht auf die Laube zu.

PINNEBERG Lämmchen!

Sie geht weiter.

PINNEBERG Oh, Lämmchen, was haben sie mit mir gemacht! Die Polizei, heruntergestoßen haben sie mich vom Bürgersteig – weggejagt haben sie mich – wie kann ich noch einen Menschen ansehen?

57. *Apotheose*

Plötzlich ist die Kälte weg, eine unendlich sanfte grüne Woge hebt sie auf und ihn mit ihr. Sie gleiten empor, die Sterne funkeln ganz nahe.

LÄMMCHEN *flüstert* Aber du kannst mich doch ansehen! Immer und immer! Du bist doch bei mir, wir sind doch beisammen!

Es ist der nächtliche Strand zwischen Lehnsahn und Wiek. Es ist das alte Glück, es ist die alte Liebe. Höher und höher, von der befleckten Erde zu den Sternen. Und dann gehen sie beide ins Haus, in dem der Murkel schläft.

Anhang

*Zeitgenossen zur Lage der
arbeitenden Bevölkerung*

Bertolt Brecht
Eine gute Antwort

Ein Arbeiter wurde vor Gericht gefragt, ob er die weltliche oder die kirchliche Form des Eides benutzen wolle. Er antwortete: »Ich bin arbeitslos.« – »Dies war nicht nur Zerstreutheit«, sagte Herr K. »Durch diese Antwort gab er zu erkennen, daß er sich in einer Lage befand, wo solche Fragen, ja vielleicht das ganze Gerichtsverfahren als solches, keinen Sinn mehr haben.«

(aus: Bertolt Brecht, Geschichten vom Herrn Keuner. Gesammelte Werke, Band 12. Frankfurt 1967)

Bertolt Brecht
Der Arbeitsplatz
oder
Im Schweiße deines Angesichts sollst du kein Brot essen

In den Jahrzehnten nach dem Weltkrieg wurde die allgemeine Arbeitslosigkeit und die Bedrückung der unteren Schichten immer größer. Ein Vorfall, der sich in der Stadt Mainz zutrug, zeigt besser als alle Friedensverträge, Geschichtsbücher und Statistiken den barbarischen Zustand, in welchen die Unfähigkeit, ihre Wirtschaft anders als durch Gewalt und Ausbeutung in Gang zu halten, die großen europäischen Länder geworfen hatte. Eines Tages im Jahre 1927 erhielt die Familie Hausmann in Breslau, bestehend aus Mann, Frau und zwei kleinen Kindern, in dürftigsten Verhältnissen, den Brief eines früheren Arbeitskollegen des Hausmann, in dem er seinen Arbeitsplatz anbot, einen Vertrauensposten, den er wegen einer kleinen Erbschaft in Brooklyn aufgeben wollte. Der Brief versetzte die Familie, die durch dreijährige Arbeitslosigkeit an den Rand der Verzweiflung gebracht war, in fieberhafte Aufregung. Der Mann erhob sich sofort von seinem Krankenlager – er lag an einer Rippenfellentzündung –, hieß die Frau das Nötigste in einen alten Koffer und mehrere Schachteln packen, nahm die Kinder an die Hand, bestimmte die Art, wie die Frau den jämmerlichen Haushalt auflösen sollte, und begab sich trotz seines geschwächten Zustands auf den Bahnhof. (Er hoffte, durch das Mitbringen der Kinder für den Kollegen auf alle Fälle gleich eine vollendete Tatsache zu schaffen.) Mit hohem Fieber völlig apathisch im Bahnabteil hockend, war er froh, daß eine junge Mitreisende, entlassene Hausangestellte, auf der Fahrt nach Berlin, die ihn für einen Witwer hielt, sich seiner Kinder annahm, ihnen auch Kleinigkeiten kaufte, die sie sogar aus eigener Tasche bezahlte. In Berlin wurde seine Verfassung so übel, daß er, nahezu bewußtlos, in ein Krankenhaus geschafft werden mußte. Dort starb er

138

fünf Stunden später. Die Hausangestellte, eine gewisse Leidner, hatte, diesen Umstand nicht voraussehend, die Kinder nicht weggegeben, sondern sie mit zu sich in ein billiges Absteigequartier genommen. Sie hatte für sie und den Gestorbenen allerhand Auslagen gehabt, auch dauerten sie die hilflosen Würmer, und so fuhr sie, ein wenig kopflos, denn es wäre zweifellos besser gewesen, die zurückgebliebene Frau Hausmann zu benachrichtigen und herkommen zu lassen, noch am selben Abend mit den Kindern zurück nach Breslau. Die Hausmann nahm die Nachricht mit jener schrecklichen Stumpfheit auf, welche den jedes normalen Ganges seiner Verhältnisse Entwöhnten manchmal aneignet. Einen Tag lang, den nächsten, beschäftigten sich die beiden Frauen mit dem Ankauf einiger billiger Trauerartikel auf Abzahlung. Gleichzeitig betrieben sie die Auflösung des Haushaltes weiter, welche jetzt doch jeden Sinn verloren hatte. In leeren Zimmern stehend, mit Schachteln und Koffern beladen, verfiel die Frau knapp vor der Abreise auf einen ungeheuerlichen Gedanken. Der Arbeitsplatz, den sie zusammen mit dem Mann verloren hatte, war keine Minute aus ihrem armen Kopf verschwunden. Es kam alles darauf an, ihn, koste es, was es wolle, zu retten: solch ein Angebot des Schicksals war nicht ein zweites Mal zu erwarten. Der Plan, auf den sie im letzten Moment zur Rettung dieses Arbeitsplatzes verfiel, war nicht abenteuerlicher als ihre Lage verzweifelt war: sie wollte anstelle ihres Mannes und als Mann den Wächterposten in der Fabrik, um den es sich handelte, einnehmen. Noch kaum mit sich einig, riß sie sich die schwarzen Fetzen vom Leibe, holte vor den Augen der Kinder aus einem der mit Bindfaden umschnürten Koffer den Sonntagsanzug ihres Mannes und zog ihn sich ungeschickt an, wobei ihr ihre neu gewonnene Freundin, die beinahe augenblicklich alles verstanden hatte, schon half. So fuhr in dem Zug nach Mainz, ein erneuter Vorstoß in der Richtung des verheißenen Arbeitsplatzes, eine neue Familie, aus nicht mehr Köpfen wie bisher bestehend. So treten in die Lücken durch feindliches Feuer gelichteter Bataillone frische Rekruten.

Der Termin, zu dem der jetzige Besitzer des Arbeitsplatzes sein Schiff in Hamburg erreichen muß, gestattet es den Frauen nicht, in Berlin auszusteigen und an der Beerdigung des Hausmann teilzunehmen. Während er ohne Geleite aus dem Krankenhaus geschafft wird, um in die Grube gelegt zu werden, macht seine Frau in seinen Kleidern, seine Papiere in der Tasche, an der Seite seines einstmaligen Kollegen, mit dem eine rasche Verständigung erfolgt ist, den Gang in die Fabrik. Sie hat einen weiteren Tag in der Wohnung des Kollegen damit verbracht, unermüdlich vor diesem und ihrer Freundin – all dies geschah übrigens nach wie vor unter den Augen der Kinder – Gang, Sitzen und Essen sowie die Sprechweise eines Mannes einzuüben. Wenig Zeit liegt zwischen dem Augenblick, in dem Hausmann die Grube empfängt, und dem Augenblick, wo der ihm verheißene Arbeitsplatz besetzt wird.

Durch eine Verkettung von Verhängnis und Glück wieder in das Leben, das heißt die Produktion, zurückgebracht, führten die beiden Frauen als Herr und Frau Hausmann zusammen mit den Kindern ihr neues Leben in der umsichtigsten und ordentlichsten Weise. Der Beruf des Wächters einer großen Fabrik stellte nicht unerhebliche Anforderungen. Die nächtlichen Rundgänge durch die Fabrikhöfe, Maschinenhallen und Lagerräume verlangten Zuverlässigkeit und Mut, Eigenschaften, die seit jeher *männliche* genannt werden. Daß die Hausmann diesen Anforderungen gerecht wurde – sie erhielt sogar einmal, als sie einen Dieb ergriffen und unschädlich gemacht hatte (einen armen Teufel, der hatte Holz stehlen wollen), eine öffentliche Anerkennung der Fabrikdirektion –, beweist, daß Mut, Körperkraft, Besonnenheit schlechthin von jedem, Mann oder Weib, geliefert werden können, der auf den betreffenden Erwerb angewiesen ist. In wenigen Tagen wurde die Frau zum Mann, wie der Mann im Laufe der Jahrtausende zum Manne wurde: durch den Produktionsprozeß.

Es vergingen vier Jahre, während derer die allgemeine Arbeitslosigkeit ringsum zunahm, verhältnismäßig sicher für die kleine Familie, deren Kinder heranwuchsen. Das häusli-

che Leben der Hausmanns erweckte so lange keinerlei Argwohn der Nachbarschaft. Dann mußte aber ein Zwischenfall in Ordnung gebracht werden. Bei den Hausmanns saß gegen Abend oft der Portier des Mietshauses. Es wurde zu dritt Karten gespielt. ›Der Wächter‹ saß dabei breit, in Hemdsärmeln, den Bierkrug vor sich (ein Bild, das nachmals von den illustrierten Zeitungen in großer Aufmachung gebracht wurde). Dann ging der Wächter zum Dienst, und der Portier blieb bei der jungen Frau sitzen. Vertraulichkeiten konnten nicht ausbleiben. Sei es nun, daß die Leidner bei einer solchen Gelegenheit aus der Schule schwatzte, sei es, daß der Portier den Wächter beim Umziehen durch eine offen gelassene Türspalte sah, jedenfalls hatten die Hausmanns mit ihm von einem bestimmten Zeitpunkt an einige Schwierigkeiten, indem sie dem Trinker, dem sein Amt außer der Wohnung wenig einbrachte, finanzielle Zuwendungen machen mußten. Besonders schwierig wurde die Lage, als die Nachbarn auf die Besuche des Haase – so hieß der Mann – in der Hausmannschen Wohnung aufmerksam wurden und auch der Umstand, daß die ›Frau Hausmann‹ öfter Speisereste und Flaschenbier in die Portierloge brachte, in der Nachbarschaft diskutiert wurde. Das Gerücht von der Gleichgültigkeit des Wächters ehrenrührigen Vorgängen in seiner Wohnung gegenüber drang sogar bis in die Fabrik und erschütterte dort zeitweilig das Vertrauen in ihn. Die drei waren gezwungen, nach außen hin einen Bruch ihrer Freundschaft vorzutäuschen. Jedoch dauerte die Ausbeutung der zwei Frauen durch den Portier natürlich nicht nur fort, sondern nahm sogar immer größere Ausmaße an. Ein Unglücksfall in der Fabrik machte dem Ganzen ein Ende und brachte die ungeheuerliche Begebenheit ans Tageslicht.
Bei einer nächtlichen Kesselexplosion wurde der Wächter verletzt, nicht schwer, aber doch so, daß er ohnmächtig vom Platz getragen wurde. Als die Hausmann wieder erwachte, fand sie sich in der Frauenklinik. Nichts könnte ihr Entsetzen beschreiben. An Bein und Rücken verwundet und bandagiert, von Übelkeit geschüttelt, aber tödlicheren Schrecken als nur den über eine nicht übersehbare Verwun-

dung in den Knochen, schleppte sie sich durch den Saal noch schlafender kranker Weiber und ins Zimmer der Oberin. Bevor diese zu Wort kommen konnte – sie war noch beim Anziehen, und der falsche Wächter mußte grotesker Weise erst eine angewöhnte Scheu überwinden, zu einer halb bekleideten Frau ins Zimmer zu treten, was doch nur der Geschlechtsgenossin erlaubt ist –, überschüttete die Hausmann sie mit Beschwörungen, doch ja nicht der Direktion über den fatalen Tatbestand Mitteilung zukommen zu lassen. Nicht ohne Mitleid gestand die Oberin der Verzweifelten, die zweimal in Ohnmacht fiel, aber auf Fortführung der Aussprache bestand, daß die Papiere bereits an die Fabrik gegangen seien. Sie verschwieg ihr, wie die unglaubliche Geschichte lauffeuerartig durch die Stadt sich verbreitet hatte. Das Krankenhaus verließ die Hausmann in Männerkleidern. Sie kam vormittags nach Haus und von mittags an sammelte sich auf dem Flur des Hauses und auf dem Pflaster dem Haus gegenüber das ganze Viertel und wartete auf den falschen Mann. Abends holte die Polizei die Unglückliche ins Polizeigewahrsam, um dem Ärgernis ein Ende zu machen. Sie stieg immer noch in Männerkleidern in das Auto. Sie hatte keine andern mehr.

Um ihren Arbeitsplatz kämpfte sie noch vom Polizeigewahrsam aus, natürlich ohne Erfolg. Er wurde an einen der Ungezählten vergeben, die auf Lücken warten und zwischen den Beinen jenes Organ tragen, das auf ihrem Geburtsschein angezeigt ist. Die Hausmann, die sich nicht vorwerfen mußte, irgend etwas unversucht gelassen zu haben, soll noch einige Zeit als Kellnerin in einem Vorstadtlokal zwischen Fotos, die sie in Hemdsärmeln, Karten spielend und Bier trinkend, als Wächter zeigten und zum Teil erst *nach* der Entlarvung gestellt worden waren, den Kegelspielern als Monstrum gegolten haben. Dann verschwand sie wohl endgültig wieder in der Millionenarmee derer, die eines bescheidenen Broterwerbs wegen gezwungen sind, sich ganz oder stückweise oder gegenseitig zum Kauf anzubieten, Jahrhunderte alte Gewohnheiten, die schon beinahe wie ewige ausgesehen haben, innerhalb weniger Tage aufzuge-

142

ben und, wie man sieht, sogar ihr Geschlecht zu wechseln, übrigens größtenteils ohne Erfolg, kurz, die verloren sind, und zwar, wenn man der herrschenden Meinung glauben will, endgültig.

(aus: Bertolt Brecht, Geschichten. Gesammelte Werke, Band 11, Frankfurt 1967)

Ödön von Horváth
Das Fräulein wird bekehrt

Als sich das Fräulein und der Herr Reithofer kennen lernten, fielen sie sich zuerst gar nicht besonders auf. Jeder dachte nämlich gerade an etwas Wichtigeres. So dachte der Herr Reithofer, daß sich der nächste Weltkrieg wahrscheinlich in Thüringen abspielen wird, weil er gerade in der Zeitung gelesen hatte, daß die rechten Kuomintang wieder mal einhundertdreiundvierzig Kommunisten erschlagen haben. Und das Fräulein dachte, es sei doch schon sehr schade, daß sie monatlich nur hundertzehn Mark verdient, denn sie hätte ja jetzt bald Urlaub und wenn sie zwohundertzehn Mark verdienen würde, könnte sie in die Berge fahren. Bis dorthin, wo sie am höchsten sind.

Gesetzlich gebührten nämlich dem Fräulein jährlich sechs bezahlte Arbeitstage – jawohl, das Fräulein hatte ein richtiggehendes Recht auf Urlaub und es ist doch noch gar nicht so lange her, da hatte solch Fräulein überhaupt nichts zu fordern, sondern artig zu kuschen und gegebenenfalls zu kündigen, sich zu verkaufen oder drgl., was zwar auch heute noch vorkommen soll. Aber heute beschützen uns ja immerhin einige Paragraphen, während noch vor zwanzig Jahren die Gnade höchst konstitutionell herrschte, und infolgedessen konnte man es sich gar nicht vorstellen, daß auch Lohnempfänger Urlaub haben dürfen. Es lag allein in des Brotherrn Ermessen, ob solch Fräulein zu Weihnachten oder an einem anderen christlichen Doppelfeiertage auch noch den zweiten Tag feiern durfte. Aber damals war ja unser Fräulein noch kaum geboren – eigentlich beginnt ihr Leben mit der sozialen Gesetzgebung der Weimarer Republik.(...)

Aber das Fräulein zählte nicht zum Proletariat, weil ihre Eltern mal zugrunde gegangen sind. Sie war überzeugt, daß die Masse nach Schweiß riecht, sie leugnete jede Solidarität und beteiligte sich an keiner Betriebsratswahl. Sie tat sehr stolz, weil sie sich nach einem Sechszylinder sehnte. Sie war wirklich nicht glücklich und das hat mal ein Herr, der sie in der

Schellingstraße angesprochen hatte, folgendermaßen formuliert: »In der Stadt wird man so zur Null«, meinte der Herr und fuhr fort: »Ich bin lieber draußen auf dem Lande auf meinem Gute. Mein Vetter ist Diplomlandwirt. Wenn zum Beispiel, mit Verlaub zu sagen, die Vögel zwitschern –« und er fügte rasch hinzu: »Wolln ma mal ne Tasse Kaffee?« Das Fräulein wollte und er führte sie auf einen Dachgarten. Es war dort sehr vornehm und plötzlich schämte sich der Herr, weil der Kellner über das Täschchen des Fräuleins lächelte und dann wurde der Herr unhöflich, zahlte und ließ das Fräulein allein auf dem Dachgarten sitzen. Da dachte das Fräulein, sie sei halt auch nur eine Proletarierin, aber dann fiel es ihr wieder ein, daß ihre Eltern zugrunde gegangen sind, und sie klammerte sich daran.

Das war am vierten Juli und zwei Tage später begegnete das Fräulein zufällig dem Herrn Reithofer in der Schellingstraße. »Guten Abend«, sagte der Herr Reithofer. »Haben Sie schon gehört, daß England in Indien gegen Rußland ist? Und, daß der Reichskanzler operiert werden muß.«

»Ich kümmere mich nicht um Politik«, sagte das Fräulein.

»Das ist aber Staatsbürgerpflicht«, sagte der Herr Reithofer.

»Ich kanns doch nicht ändern«, meinte das Fräulein.

»Oho!« meinte der Herr Reithofer. »Es kommt auf jeden einzelnen an, zum Beispiel bei den Wahlen. Mit Ihrer Ansicht, Fräulein, werden Sie nie in die Berge fahren, obwohl diese ganzen Wahlen eigentlich nur eine kapitalistische Mache sind.«

Der Herr Reithofer war durchaus Marxist, gehörte aber keiner Partei an, teils wegen Noske, teils aus Pazifismus. »Vielleicht ist das letztere nur Gefühlsduselei«, dachte er und wurde traurig. Er sehnte sich nach Moskau und war mit einem sozialdemokratischen Parteifunktionär befreundet. Er spielte in der Arbeiterwohlfahrtslotterie und hoffte mal sehr viel zu gewinnen und das war das einzig Bürgerliche an ihm.

»Geben Sie acht, Fräulein«, fuhr er fort, »wenn ich nicht vor drei Jahren zweihundert Mark gewonnen hätt, hätt ich noch nie einen Berg gesehen. Vom Urlaub allein hat man noch nichts, da gehört noch was dazu, ein anderes Gesetz, ein ganz

anderes Gesetzbuch. Es ist schön in den Bergen und still.«
Und dann sagte er dem Fräulein, daß er für die Befreiung
der Arbeit kämpft. Und dann klärte er sie auf, und das Fräulein dachte: er hat ein angenehmes Organ. Sie hörte ihm
gerne zu, und er bemerkte es, daß sie ihm zuhört. »Langweilt
Sie das?« fragte er. »Oh nein!« sagte sie.
Da fiel es ihm auf, daß sie so rund war rundherum, und er
mußte direkt achtgeben, daß er nicht an sie ankommt.
»Herr Reithofer«, sagte plötzlich das Fräulein, »Sie wissen
aber schon sehr viel und Sie können es einem so gut sagen«
– aber der Herr Reithofer ließ sich nicht stören, weil er gerade über den Apostel Paulus sprach und darüber ist es sehr
schwer zu sprechen. »Man muß sich schon sehr konzentrie-
ren«, dachte der Herr Reithofer und ging über zur französischen Revulution.
Er erzählte ihr, wie Marat ermordet wurde, und das Fräulein
überraschte sich dabei, wie sehr sie sich anstrengen mußte,
wenn sie an einen Sechszylinder denken wollte. Es war ihr
plötzlich, als wären nicht ihre Eltern, sondern bereits ihre
Ururureltern zugrunde gegangen. Sie sah so plötzlich alles anders, daß sie einen Augenblick stehen bleiben mußte. Der
Herr Reithofer ging aber weiter, und sie betrachtete ihn von
hinten.
Es war ihr, als habe der Herr Reithofer in einem dunklen
Zimmer das Licht angeknipst und nun könne sie den
Reichswehrminister, den Prinz von Wales und den Poincaré,
den Mussolini und zahlreiche Aufsichtsräte sehen. Auf dem
Bette saß ihr Chef, auf dem Tische stand ein Schupo, vor
dem Spiegel ein General und am Fenster ein Staatsanwalt –
als hätten sie immer schon in ihrem Zimmer gewohnt. Aber
dann öffnete sich die Türe und herein trat ein mittelgroßer
stämmiger Mann, der allen Männern ähnlich sah. Er ging
feierlich auf den Herrn Reithofer zu, drückte ihm die Hand
und sprach: »Genosse Reithofer, du hast ein bürgerliches
Fräulein bekehrt. Das ist sehr schön von dir.« Und das Fräulein dachte: »Ich glaub gar, dieser Herr Reithofer ist ein an-
ständiger Mensch.«
»Die Luft ist warm heut abend«, sagte der anständige

Mensch. »Wollen Sie schon nachhaus oder gehen wir noch etwas weiter?«

»Wohin?«

»Dort drüben ist die Luft noch besser, das ist immer so in den Anlagen«, sagte er und dann fügte er noch hinzu, der Imperialismus sei die jüngste Etappe des Kapitalismus und dann sprach er kein Wort.

Warum er denn kein Wort mehr sage, fragte das Fräulein. Weil es so schwer sei, die Menschen auf den rechten Weg zu bringen, sagte der Herr Reithofer. Hierauf konnte man beide nicht mehr sehen, denn es war sehr dunkel in den Anlagen.

(aus: Ödön von Horváth, Fräulein Pollinger und andere. Gesammelte Werke, Band III, Frankfurt 1971)

Walter Benjamin
»Gehaltserhöhung?! Wo denken Sie hin!«

DER SPRECHER Meine Damen und Herren, wir bitten um Ihre Aufmerksamkeit für einen Ihrer Kollegen, Herrn Max Frisch. Sie alle, die Sie in einem Büro, einem Geschäft, einem Betrieb arbeiten, kennen ihn. Er ist der Mann, der immer Erfolg hat, der es versteht, sich durchzusetzen, ohne viel Streit mit den Kollegen seinen Platz zu behaupten. Wir haben Herrn Frisch gebeten, uns seine Geheimnisse zu verraten, uns zu erklären, wie er es fertigbringt, mit allen gut zu stehen, in dieser Zeit sein Auskommen zu finden, seine Nerven zu schonen, ein angenehmer Kollege zu bleiben. Wollen Sie erfahren, wie er es macht, so hören Sie zu! Es spricht einer von Ihnen, einer, der alle Ihre Sorgen und Schwierigkeiten miterlebt, und der es doch oft versteht, besser damit fertig zu werden, als Sie. Glauben Sie bitte nicht, daß Herr Frisch eine Ausnahme, ein Liebling des Glückes ist! Herr Frisch will nicht beneidet werden, er will Ihnen sagen, wie er es macht, Glück zu haben.

DER ZWEIFLER Verzeihen Sie, daß ich Sie unterbreche: Sie glauben also, daß ein einzelner, schwacher Mensch die Kraft hat, sein Leben so einzurichten, daß es schön ist? Glauben Sie wirklich?

DER SPRECHER Bis zu einem hohen Grade, jawohl.

DER ZWEIFLER Aber wenn er kein Geld hat? Wenn er seit Jahren mit einem kleinen Gehalt auskommen muß, und das reicht nicht hin und nicht her? Was macht er dann?

DER SPRECHER Vielleicht fordert er Gehaltserhöhung von seinem Chef?

DER ZWEIFLER *lacht höhnisch:* Na, da kennen Sie die Chefs schlecht. Gehaltserhöhung in der heutigen Zeit? Wollen Sie uns Märchen erzählen?

DER SPRECHER Nein durchaus nicht. Herr Frisch will Ihnen

ganz praktisch zeigen, wie es gemacht wird, wie man es machen muß.

DER ZWEIFLER Ihr Herr Frisch kann uns viel erzählen. Ich stehe doch seit Jahren im Geschäftsleben und weiß, wie das heute vor sich geht, wenn einer Gehaltserhöhung haben will. Er kann froh sein, wenn er sein altes Gehalt behält und nicht abgebaut wird.

DER SPRECHER Dann ist er ungeschickt, will mir scheinen.

DER ZWEIFLER Da kann jemand noch so geschickt sein. Kommen Sie einmal in mein Büro, ich werde Ihnen zeigen, wie sich das abspielt.

DER SPRECHER Gut, da bin ich sehr einverstanden. Vielleicht kommen wir darauf, woran es liegt, daß die meisten kein Glück haben.

DER ZWEIFLER Hier darf ich Ihnen Herrn Zauderer vorstellen. Herr Zauderer ist in der Situation, die wir zeigen wollen. Seit mehreren Jahren hat er nun schon ein Gehalt von 250 Mark. Er braucht zum Leben unbedingt 50 Mark mehr. Ich wette mit Ihnen, daß, wenn er jetzt zum Chef hineingeht, er nichts erreichen wird.

DER SPRECHER Das ist möglich, aber vielleicht hat er selber schuld.

DER ZWEIFLER Ach was, Schuld! Der Chef will nicht, und damit basta.

DER SPRECHER Hören Sie zu, vielleicht kommen wir auf die Fehler! *Es klopft leise.*

CHEF *brummig:* Herein!
Es klopft noch einmal.

CHEF *brummig:* Herein doch! Wie oft soll ich noch brüllen.

ZAUDERER *hastig und ängstlich:* Ach entschuldigen Sie, Herr Direktor, ich wollte nicht stören, – wenn Sie einen Augenblick Zeit haben.

CHEF Sehr gut, daß Sie von allein kommen. Ich muß mit Ihnen reden. So geht das nicht weiter. Hier habe ich den ganzen Tisch voll Reklamationen, hier aus Leipzig, aus Erlangen, hier aus Elburg und hier sogar aus Magdeburg, von unserem besten Kunden. So geht das nicht weiter. Reklamationen und Beschwerden, den ganzen Tag geht das so. Dem einen schicken Sie zuviel, dem andern zu wenig, der Magdeburger bekommt die Lieferungen in Rechnung gestellt, die vor drei Monaten bezahlt sind. Also wie denken Sie sich das, Herr Zauderer?

ZAUDERER *immer verwirrter:* Ja, ich weiß nicht, ich habe morgens ja schon ein paar Sachen in der Post gesehen. Aber ich kann mir gar nicht erklären, woran das liegt.

CHEF Also nehmen Sie es mir nicht übel. Das ist der Höhepunkt: Wozu sind Sie denn hier, wenn nichts klappt?

ZAUDERER Ja, ich weiß nicht, Herr Direktor, der neue Buchhalter macht Fehler über Fehler. Sie wissen doch, ich sitze ganze Nächte lang hier und arbeite die Belege durch. Sie können mir doch nicht Nachlässigkeit vorwerfen.

CHEF *ärgerlich aber nicht ungeduldig:* Also, lieber Herr Zauderer, ich will Ihnen mal was sagen. Setzen Sie sich dahin. So. Ich weiß, Sie sind ein vernünftiger Mensch, und ich weiß auch, daß Sie mich nicht betrügen. Deshalb halte ich Sie doch auch schon so lange in unserm Betriebe. Aber nun versetzen Sie sich mal in meine Lage: Ich habe den ganzen Tag, sooft die Post kommt, nichts als Ärger. Und was können Sie mir antworten: ich bin nicht schuld, der Buchhalter macht Fehler. Sie wissen nicht, was gespielt wird. Und damit soll ich mich zufriedengeben? Sagen Sie selbst.

ZAUDERER Ja, da kann ich nichts antworten. Ich tue doch alles, um es besser zu machen. Mehr kann man doch nicht tun!

CHEF Das weiß ich nicht. Das ist Ihre Sache. Meinetwegen brauchen Sie nur zwei Stunden am Tage hier zu sein. Aber die Sache muß klappen. Das müssen Sie doch einsehen!

ZAUDERER Jawohl. – Aber, – aber – *er zögert* – ich wollte ...

CHEF *etwas erstaunt:* Ja, was ist denn noch dazu zu sagen?

ZAUDERER Dazu nichts, Herr Direktor, Aber ...

CHEF Ja, das ist mir aber das Wichtigste. Alles andere ist mir egal.

ZAUDERER Ich wollte, ... ich wollte um Gehaltserhöhung bitten!

CHEF Was, das auch noch! Aber da hört denn doch verschiedenes auf. Ich muß Ihnen seit Wochen Vorwürfe machen und Sie fordern Gehaltserhöhung?

ZAUDERER Ja, Herr Direktor, ich wollte ja nicht stören, aber ich komme mit meinem Gehalt nicht aus. Ich wollte um Zulage bitten.

CHEF Es ist mir unbegreiflich, wie Sie sich das vorgestellt haben. Gehaltserhöhung? Jetzt? In dieser Zeit? Und gerade Sie! Unverständlich!

ZAUDERER Herr Direktor, ich dachte... jetzt ... ich wollte ja nur fragen, ob vielleicht, verstehen Sie doch bitte, daß ich mit diesem Gehalt nicht reichen kann.

CHEF Lieber Herr Zauderer, ich will Ihnen mal was sagen: Gehaltserhöhung kommt überhaupt nicht in Frage. Erstens ist jetzt wirklich keine Zeit dazu, zweitens bin ich mit Ihren Leistungen in letzter Zeit durchaus nicht zufrieden und drittens möchte ich Ihnen sagen, daß ich nur mit besonderer Rücksicht auf Sie von einem Abbau abgesehen habe.

ZAUDERER *etwas beleidigt:* Ja, dann kann ich wohl gehen. Ich hatte ja gehofft, daß Sie, Herr Direktor, mich mehr verstehen würden. Wenn Ihnen nicht genügt, wieviel ich arbeite, so muß ich wohl die Stellung in Ihrem Hause aufgeben.

CHEF *besänftigend:* Reden Sie doch keinen Unsinn, Herr Zauderer. Ich sagte ja, daß ich persönlich nichts gegen Sie habe. Seien Sie doch nicht töricht, warum wollen Sie hier bei mir nicht bleiben. Woanders finden Sie jetzt bestimmt kein Unterkommen.

ZAUDERER *weinerlich:* Ja, Herr Direktor, verzeihen Sie bitte, aber seit ich hier bin, werde ich ungerecht behandelt. Herr Meier, der mit mir zusammen in die Firma eintrat, verdient heute schon 70 Mark mehr als ich.

CHEF Na und. Die Gehaltszumessung ist doch wohl meine Sache. Lieber Freund. Ich rate Ihnen gut, machen Sie Ihre Arbeiten richtig und so zuverlässig wie Herr Meier, dann werden Sie sich nicht ungerecht behandelt fühlen.

ZAUDERER Ja, ich tue doch...

CHEF *sofort:* Ich denke doch, daß wir damit die Unterhal-

151

tung abbrechen können. Guten Morgen!

ZAUDERER *ängstlich:* Guten Morgen.

Eine Tür wird zugeschlagen.

DER ZWEIFLER *lacht höhnisch:* Nun, habe ich es nicht gesagt? So geht das zu, wenn heute einer Gehaltserhöhung verlangt. Genügt Ihnen diese Szene, Herr?

DER SPRECHER Nein. Das, was wir eben gehört haben, war geradezu ein Schulbeispiel für alle Fehler, die ein Angestellter im Gespräch mit seinem Chef begehen kann.

DER ZWEIFLER Wieso Fehler? Der Chef wollte nicht, und damit war die Sache erledigt.

DER SPRECHER Nein. Vier Minuten hat das Gespräch. Wissen Sie, wieviel Fehler Herr Zauderer gemacht hat? Mindestens sieben!

DER ZWEIFLER Wieso?

DER SPRECHER Erstens ist es das Dümmste, mit einer Bitte im Augenblick zu kommen, wo der Chef nicht ohne Grund ärgerlich ist. Zweitens: Wenn man merkt, daß der Chef schlechter Stimmung ist, kann man nicht darauf bestehen, über das Gehaltsthema weiter zu verhandeln. Drittens: Wenn man mit seinem Chef spricht, kann man nicht dauernd schüchtern, ängstlich, unterwürfig sein. Man braucht nie unhöflich oder anmaßend zu sein, aber man muß seine Würde behalten, man muß genau und bestimmt ausdrücken, was man will. Viertens: Herr Zauderer antwortete auf die Vorwürfe seines Chefs damit, daß er einem Kollegen die Schuld zuschob. Das ist unfair und macht den schlechtesten Eindruck. Fünftens: Herr Zauderer spricht bei der Frage der Gehaltserhöhung dauernd nur von seinen Bedürfnissen. Den Chef interessiert sein Geschäft und nicht das Privatleben des Angestellten. Sechstens: Ein sehr dummer Schachzug: Herr Zauderer droht, als er die Sache verloren sieht, damit, daß er kündigen will. Der Chef weiß natürlich, daß Herr Zauderer ernsthaft gar nicht daran denken kann, fortzugehen. Es ist also höchst ungeschickt von Herrn Zauderer, erst den Beleidigten spielen zu wollen. Das zieht niemals. Und schließlich siebentens: Das Wort Ungerechtigkeit ist immer falsch am Platz. Ein Chef läßt sich nicht dreinreden, welchem Angestellten er mehr Gehalt gibt, und welchem weniger. Das ist seine Sache. Es ist indiskret von Herrn Zauderer, mit dem Chef über Gehälter anderer Angestellten zu sprechen. Ja, das wäre das, was ich zu der Szene, die Sie mir gezeigt haben, zu sagen hätte.

DER ZWEIFLER *etwas unsicher:* Gut, ich gebe zu, daß Herr Zauderer sich nicht sehr geschickt benommen hat. Aber wie soll man es denn besser machen?

DER SPRECHER Vielleicht kann uns das Herr Frisch zeigen. Er ist ja der Mann, der alles durchsetzt, was er will. Er wird alle Fehler zu vermeiden suchen, und darüber hinaus vielleicht noch besondere Trümpfe ausspielen, Trümpfe, die jeder Angestellte in der Hand hat. Gehen wir zu ihm in sein Büro. Dies ist Herr Frisch? Guten Tag, Herr Frisch.

FRISCH Guten Tag.

SPRECHER Wollen Sie uns jetzt zeigen, Herr Frisch, wie Sie es durchsetzen, Gehaltserhöhung zu bekommen?

FRISCH Ich will es versuchen. Man weiß ja nicht, ob es gelingt, aber man kann es versuchen.

DER ZWEIFLER Da bin ich neugierig. Wieviel verdienen Sie, Herr Frisch?

FRISCH 350 Mark, davon gehen etwa 40 Mark für Steuer und Versicherungen ab.

DER ZWEIFLER Und Sie glauben, da mehr durchsetzen zu können? Was sind Sie?

FRISCH Leiter der Buchhaltung in einem Geschäft für Strikkereiwaren en gros.

DER ZWEIFLER So, und welches Gehalt wollen Sie haben?

FRISCH 450 Mark, sodaß ich also wirklich etwa 400 ausgezahlt bekomme.

DER ZWEIFLER Das sind also 30 % Zulage!

FRISCH Jawohl. Man kann es versuchen. Schweigen Sie jetzt, ich gehe zum Chef hinein.
Es klopft.

CHEF Herein.

FRISCH Guten Morgen, Herr Direktor.

CHEF 'n Morgen, was gibt es Gutes, lieber Frisch?

FRISCH Darf ich einen Augenblick stören?

CHEF Was gibt es denn, hoffentlich nichts Unangenehmes? Haben Sie wieder Unregelmäßigkeiten entdeckt?

FRISCH – Darf ich mich setzen? Danke sehr. – Nein, die neuen Verbuchungen bewähren sich ausgezeichnet. Jeder Abruf vom Lager bekommt jetzt seine eigene Buchung, die vom Verwalter gezeichnet sein muß. Erst, wenn ich die Kopie habe, bekommt die Expedition den Ausgangsschein.

CHEF So, so. Und Sie glauben, daß wir so nicht wieder Betrügern in die Hände fallen können.

FRISCH Ganz ausgeschlossen. Da müßte schon die ganze Buchhaltung aus Schwindlern bestehen.

CHEF *wohlwollend:* Na, das brauchen wir ja nicht anzunehmen. Gott sei Dank.

FRISCH Meine ich auch.

CHEF Und bringt die neue Buchungsmethode nicht große Verzögerungen mit sich? Sie wissen, gerade jetzt müssen wir so schnell liefern, wie es nur irgend geht.

FRISCH Ganz im Gegenteil, Herr Direktor. Ich habe gerade jetzt mit der Expedition gesprochen. Es geht jetzt schneller als früher. Es gibt doch durch meine Methode gar kein Rückfragen mehr.

CHEF Na, hoffentlich, jedenfalls war es sehr vernünftig von Ihnen, sich da mal um die Expedition zu kümmern.

FRISCH Ja, das werde ich auch weiter tun.

CHEF Schön, ist das alles, was Sie mir sagen wollten?

FRISCH Nein, wenn Sie erlauben, ich habe noch eine Privatangelegenheit.

CHEF Was? Muß das jetzt sein? Sie sehen doch, ich habe den ganzen Tisch voll Post liegen, ich bin noch gar nicht zum Lesen gekommen.

FRISCH Ach, das tut mir leid. Aber ich will Sie nicht lange aufhalten. Nachher kommen doch die Herren vom neuen Werk in Zwickau, da ist dann sowieso keine Zeit. Wir werden sehr eingehend mit den Herren verhandeln müssen. Ich habe mir den Abend dafür freigehalten.

CHEF Ja, ja, sehr wichtig. Mir liegt sehr viel an dem Abschluß. Wir müssen das durchsetzen.

FRISCH Sie können sich auf mich verlassen, Herr Direktor.

CHEF Schön, also was gibt es bei Ihnen?

FRISCH Ja, – ich möchte um Gehaltserhöhung bitten.

CHEF Na, erlauben Sie mal, jetzt kommen Sie damit? Das finde ich ja sehr merkwürdig.

FRISCH Das tut mir leid, daß Sie das überrascht. Aber ich glaube, daß meine Arbeitskraft mehr wert ist, als Sie bisher dafür bezahlten.

CHEF Ich verstehe Sie gar nicht, Sie wissen doch selbst, daß wir dauernd abbauen, daß wir mit 25 % mehr Personal arbeiten, als wir uns eigentlich leisten könnten, und da kommen Sie mit Gehaltserhöhungswünschen.

FRISCH Herr Direktor, wir können doch bitte in vollkommener Ruhe darüber sprechen. Ich möchte Ihnen sagen, warum ich mehr Geld brauche und warum ich glaube, daß die Firma mir mehr zahlen kann. Und wenn Sie anderer Ansicht sind, so bitte ich Sie, mir das zu erklären.

CHEF Ach was, Gründe. Wieviel Geld ich meinen Angestellten zahle, ist doch meine Sache. Sie wissen, daß ich durchaus für die Wünsche meiner Leute ein Ohr habe, aber so dürfen Sie mir nicht kommen.

FRISCH Wieso, Herr Direktor? Sie haben doch immer zu mir Vertrauen gehabt, wir haben doch die ganzen letzten Verhandlungen gemeinsam besprochen. Ich bitte doch nur, auch zu Ihnen das Vertrauen haben zu können, daß ich mit Ihnen über meine Dinge spreche. Nicht wahr?

CHEF Na ja, schön. Also los. Ich mach Ihnen ja keinen Vorwurf. Ich möchte auch gern mehr Geld verdienen. Das will jeder.

FRISCH Jawohl, ich auch. Erstens brauche ich mehr, als ich jetzt habe...

CHEF Wieviel verdienen Sie?

FRISCH 350 brutto.

CHEF Na, das ist doch ein ganz schönes Stück Geld!

FRISCH Ich glaube nicht, daß es genug ist, um so auftreten zu können, wie es ein Chefbuchhalter unserer Firma müßte.

CHEF Wieso? Wer kümmert sich darum, wie Sie auftreten?

FRISCH Sagen Sie das nicht. Wenn die Herren aus Zwickau heute kommen, die sehen sich jeden von uns sehr genau an. Die merken ganz genau: das ist ein Angestellter, auf den die Firma viel gibt, der genug verdient, um nicht jeden Pfennig sich überlegen zu müssen, der sich gut anzieht, ausreichend ißt – Sie verstehen mich schon.

CHEF Wenn man Sie so reden hört, glaubt man, ich habe einen Modesalon und Sie sind mein Mannequin.

FRISCH *lächelnd:* Herr Direktor, Sie haben nicht ganz unrecht. Jeder Ihrer Angestellten ist für die Firma eine Art Mannequin, aus dem man seine Schlüsse auf die Leistungsfähigkeit, Zuverlässigkeit und Sicherheit der ganzen Firma ziehen kann. Glauben Sie mir, jeder gut angezogene, gepflegte Angestellte ist ein Stück Reklame für den ganzen Betrieb. Also – lassen wir die Gehaltserhöhung, die Sie mir bewilligen wollen, über allgemeine Werbungskosten verbuchen, nicht wahr?

CHEF Halt! Halt! Soweit sind wir noch nicht, lieber Frisch! Alles schön und gut, was Sie sagen, aber was soll ich tun, der Geschäftsgang erlaubt im gegenwärigen Augenblick wirklich keinerlei neue Belastungen! Sie müssen das als Buchhaltungschef doch selbst am besten beurteilen können.

FRISCH Gewiß, Herr Direktor, ich kenne unsere augenblickliche Lage am allerbesten; aber ich möchte Sie da doch noch auf etwas anderes aufmerksam machen. Sehen Sie, im vorigen Jahr hatten wir doch 50jähriges Geschäftsjubiläum und jeder von uns Angestellten bekam neben der Sondergratifikation die von Ihnen verfaßte Jubiläumsschrift geschenkt. Ich habe das Heft sehr aufmerksam durchgelesen.

CHEF Was hat das mit Ihrer Gehaltserhöhung zu tun?

FRISCH Gleich, gleich. Sie schreiben darin sehr interessant, wie Ihr verehrter Herr Vater nach dem Durcheinander, das den Gründerjahren folgte, sein neues Geschäft mutig auf eine ganz solide Basis stellte, wie er kein Opfer

scheute, um nur erstklassige Erzeugnisse herauszubrin-
gen, wie er große Summen in neue Maschineneinrichtun-
gen investierte, weil er das Vertrauen hatte, sie würden
ihm das alles zurückbringen, wie er seine Angestellten
höher bezahlte, als die Konkurrenz, weil er sie an seine
Firma binden wollte. Nicht wahr, Herr Direktor, Sie verstehen, was ich meine?

CHEF *wohlwollend:* Na, na, Sie haben die kleine Schrift aber
sehr genau gelesen. Aber heute sind doch andere Zeiten,
lieber Freund. Gott, wie war das damals einfach!

FRISCH *stark:* Ja, vielleicht sind andere Zeiten, aber unsere
Firma ist, denk ich, dieselbe geblieben. Sie haben doch
den Betrieb in demselben Sinne weitergeführt, wie Ihr
verehrter Herr Vater. Und glauben Sie nicht, daß es in
dieser so schweren Zeit noch viel wichtiger ist, ganz zu-
verlässige Hilfe zu gewinnen, denen man die Firma an-
vertrauen kann. Ich glaube, heute ist es noch nötiger als
damals.

CHEF *etwas gerührt:* Naja, naja, Sie haben schon recht, lieber Freund. Also sagen Sie es kurz, was wollen Sie haben?

FRISCH *nach einer kleinen Pause:* 500.

CHEF Wie bitte?

FRISCH *bestimmt:* 500 Mark!

CHEF Ich höre immer 500 Mark!

FRISCH Ja, so sagte ich auch.

CHEF Na, das schlagen Sie sich mal aus dem Kopf, lieber
Freund. Schließlich bin ich doch kein Millionär.

FRISCH Hm. Ich bin ja auch kein Millionär, wenn ich 500
Mark verdiene. Und ich glaube, Herr Direktor, ohne anmaßend sein zu wollen, daß Sie allwöchentlich jetzt durch
meine Kraft mehr in Ihrem Betrieb ersparen, als ich pro
Monat Zulage haben will.

CHEF Oho, das ist noch sehr die Frage.

FRISCH Nein, wirklich! Wenn sie den Posten Verluste durch
Diebstahl usw. im vorigen Abschluß durchrechnen, so
werden Sie sehen, daß ich recht habe.

CHEF Ich will mit Ihnen nicht streiten. Aber bedenken Sie
doch bitte den jetzigen Geschäftsgang. Wir haben nicht

60 % vom Umsatz des vorigen Jahres.

FRISCH Ja, ja, wir müssen uns dranhalten, und ich werde das Meinige dazu tun, den Umsatz wieder zu erhöhen.

CHEF Das erwarte ich auch von Ihnen. Also lassen Sie uns vernünftig reden. Sind Sie mit 400 Mark zufrieden?

FRISCH Nein. Das sind 50 Mark mehr, als ich bisher verdiente. Nehmen Sie es mir nicht übel, Herr Direktor, ich erwartete mehr.

CHEF Also gut. Ich erkenne Ihre Verdienste um den Betrieb an. Sie sollen mich nicht für kleinlich halten. Wollen wir uns auf 450 einigen.

FRISCH *nach einer Pause:* Gut, beim jetzigen Geschäftsgang. 450 Mark. Ich werde alle meine Arbeit daran setzen, daß Sie diesen Grund nicht mehr vorzubringen brauchen, wenn ich das nächstemal um Gehaltserhöhung bitte.

CHEF *lachend:* Mir soll es recht sein. Wenn unser Umsatz steigt, sollen Sie nicht der Letzte sein, der daran Nutzen hat. – Aber wissen Sie, eigentlich sind Sie doch ein komischer Kerl, wenn ich so mit Ihnen rede, kommt es mir manchmal vor, als seien Sie der Chef und ich Ihr Angestellter. Sehr merkwürdig ist das.

FRISCH *ernsthaft:* Ja, vielleicht darf ich das so erklären: Ich fühle mich in Ihrem Betriebe auch nicht als Angestellter, der acht Stunden lang seine Pflicht tut, und dann nachhause geht. Wenn Sie erlauben, ich fühl mich manchmal wirklich als Chef, jedenfalls was die Sorgen angeht.

CHEF Das freut mich aufrichtig. Sie wissen ja, ich kann auch nur mit selbständigen, verantwortungsbewußten Menschen zusammenarbeiten.

FRISCH *ganz leicht ironisch:* Nun, vielleicht drückt sich das auch einmal später im Gehalt aus.

CHEF *lachend:* Fangen Sie schon gleich damit an? Nun ist es aber genug. Ich glaube, für heute können Sie ganz zufrieden sein.

FRISCH Ich bin es auch – für heute. Und ich danke Ihnen sehr.

CHEF Schon gut – aber vor allem kümmern Sie sich recht fleißig um die Zwickauer Angelegenheit.

FRISCH   Das wird gemacht. Guten Morgen.

CHEF   Guten Morgen. *Für sich.* Ein gerissener Kerl, dieser Frisch.

Eine Tür klappt zu.

DER SPRECHER   Nun, hab ich es nicht gesagt? Herr Frisch hat genau das erreicht, was er wollte. Sein Gehalt ist um 100 Mark erhöht. Hat er es nicht wirklich vernünftig angefangen?

DER ZWEIFLER   Hm. Das kann ich nicht leugnen. Ihr Herr Frisch ist ja geradezu ein Genie an Raffiniertheit.

DER SPRECHER   Jawohl. Und ich glaube, der Chef hat sich dasselbe gedacht. Er dachte: wenn der Frisch hier so ausgezeichnet mich einzufangen versteht, dann wird er noch besser mit unsern Geschäftspartnern verhandeln können. Solch einen Mann brauch ich, diese Kraft kann ich mir nicht entgehen lassen.

DER ZWEIFLER   Ja, das will ich ja zugeben. Aber doch ist Ihr Herr Frisch nur ein Einzelfall.

DER SPFECHER   Natürlich ist er ein Einzelfall. Jeder Mensch ist ein Einzelfall. Aber doch gibt es für alle immer wieder gleiche Situationen, in denen bestimmte Regeln gelten.

DER ZWEIFLER   Schön. Herr Frisch hat geschickt operiert, er hat genau die Fehler vermieden, die vorhin Herr Zauderer gemacht hat. Aber genügt denn das zum Erfolg, keine Fehler zu machen?

DER SPRECHER   Nein, Sie haben völlig recht. Das finde ich nicht. Etwas anderes muß hinzukommen.

DER ZWEIFLER   Und das wäre?

DER SPRECHER   Die Grundeinstellung, Geisteshaltung!

DER ZWEIFLER   Was heißt das?

DER SPRECHER   Nun, ich meine die innerliche Haltung, die Herr Frisch dem Geschäft, dem Chef, dem ganzen Leben entgegenbringt. Er ist klar, bestimmt, mutig, er weiß, was er will, deshalb kann er in jedem Augenblick ruhig und zugleich höflich bleiben, er versteht es, ohne sich etwas von seiner Würde zu vergeben, sich auf die Geistesverfassung seiner Gegner einzustellen.

DER ZWEIFLER   Na ja, das ist eine sehr glückliche Naturanlage. Aber wenn ihm das alles nichts geholfen hätte und sich der Chef aus irgendeinem Grunde nicht hätte überreden lassen?

DER SPRECHER   Gerade damit rechnet Herr Frisch immer. Auch im Mißerfolg bleibt er immer gelassen. Er läßt sich nicht entmutigen. Herr Frisch betrachtet seine Kämpfe als eine Art Sport, als ein Spiel. Er kämpft kameradschaftlich mit den Schwierigkeiten des Lebens. Er behält einen klaren Kopf auch im Verlust. Und glauben Sie mir bitte das eine: die Leute, die auf anständige Weise verlieren können, sind die Leute des Erfolges, die sich nicht nach jedem Mißerfolg hinwerfen und flennen. Sondern die wagemutig bleiben, denen die Mißgeschicke, die jedes Leben mit sich bringt, nicht soviel anhaben können, daß sie nicht zu einem neuen Kampfe bereit wären. Wer fällt am ersten durch ein Examen? Der, der immer furchtsam ist, immer jammert. Wer in die Prüfung mit gelassener Ruhe geht, der hat sie schon zur Hälfte bestanden. Solche Menschen werden heute gebraucht und das ist, glaub ich, das Geheimnis des Erfolges.

(aus: Walter Benjamin, Hörmodelle.
Gesammelte Schriften, Band IV, 2,
Frankfurt 1972)

Siegfried Kracauer
Die Arbeitsnachweise

Die *Arbeitsnachweise* erinnern an Rangierbahnhöfe mit un-
zähligen Gleisen, auf denen die Stellenlosen wie Waggons
hin- und hergeschoben werden. Vermutlich sind sie der einzige Ort, von dem aus der Betrieb selber als Ziel und Heimat
erscheint. Da viele Gleise verstopft sind, stauen sich die
Waggons. Der Andrang vor dem mir wohlbekannten Schal-
ter des Arbeitsnachweises einer Angestelltenorganisation
müßte der Traum jedes Theaterkassierers sein, und das Arbeitsamt Berlin-Mitte ist geradezu ein aufgeblähter Groß-
betrieb oder vielmehr das Negativ eines Großbetriebes,
denn es trachtet nach Rationalisierung dessen, was dieser
unrationalisiert läßt. In dem Nachweis für kaufmännische
Angestellte, einem der vielen des Arbeitsamtes, habe ich
Einblick in die Methoden erhalten, mit denen man den Umschlag der Ware Arbeitskraft regelt. Sie wird hier der Ein-
zelbehandlung zugeführt; das heißt, die Leute treten aus
dem allgemeinen Warteraum einzeln ins Zimmer des Beamten, dem ihre Unterbringung obliegt. Mit Hilfe einer jener
wundervollen Kartotheken, die heute ganz Deutschland
übersäen, bedient er die Hebel des riesigen Stellwerks. Daß
die Arbeitskräfte Stück für Stück vorgenommen werden,
geschieht übrigens weniger aus Rücksicht auf ihre individu-
ellen Eigenheiten als des glatteren Abtransportes wegen.
Für die Geschwindigkeit seines Vollzugs ist unter anderem
durch die Vorschrift gesorgt, daß jeder Ankömmling ein
Bewerbungsschreiben bereithalten muß, um gleich bei der
Hand zu sein. Ist kein passender Abnehmer für die Ware
Arbeitskraft vorhanden, so tut es vielleicht einer, zu dem sie
nicht durchaus paßt; die Hauptsache ist, daß sie überhaupt
verfrachtet wird.

Siegfried Kracauer
Auslese

Jenes rachitische Mädchen, das dank dem Eignungsprüfer
den Weg ins Privatbüro gefunden hat, ist vom Geschick außerordentlich begünstigt gewesen. In der Regel spielt nämlich heute das Äußere ein entscheidende Rolle, und man
muß nicht einmal Rachitis haben, um abgelehnt zu werden.
»Bei dem riesigen Angebot von Arbeitskräften«, schreibt
der sozialdemokratische Abgeordnete Dr. Julius Moses,
»ergibt sich zwangsläufig eine gewisse physische ›Auslese‹.
Auffallende körperliche Mängel, mögen sie auch die Ar-
beitsfähigkeit nicht im geringsten beeinträchtigen, machen
den betreffenden sozial Schwachen vorzeitig zum unfreiwil-
ligen Arbeitsinvaliden.« (Afa-Bundeszeitung, Februar
1929). Daß es sich so nicht nur bei den Angestellten verhält,
die mit dem Publikum unmittelbar in Berührung kommen,
wird von vielen Seiten bestätigt. Ein Beamter eines Berliner
Arbeitsamtes erklärte mir, daß Leute mit körperlichen Feh-
lern, Hinkende etwa oder gar schon Linksschreiber, als er-
werbsbeschränkt aufzufassen und besonders schwer unter-
zubringen seien. Oft schult man sie um. Aus der
verminderten Absatzfähigkeit von Runzeln und angegrau-
ten Haaren macht der Beamte kein Hehl. Ich suche von ihm
zu erfahren, welche Zauberkräfte nun eigentlich einer Er-
scheinung innewohnen müssen, damit sich die Pforten des
Betriebes vor ihr auftun. Die Ausdrücke nett und freundlich
wiederholen sich wie Repertoirestücke in seiner Antwort.
Vor allem wollen die Arbeitgeber einen netten Eindruck
haben. Leute, die nett wirken – zu einer solchen Wirkung
gehören natürlich die netten Manieren –, werden auch dann
genommen, wenn ihre Zeugnisse schlecht sind. Der Beamte
meint: »Es sollte bei uns wie bei den Amerikanern sein. Der
Mann muß ein freundliches Gesicht haben.« Um die
Freundlichkeit des Mannes zu steigern, fordert das Arbeitsamt übrigens, daß er sich mit rasierten Wangen und seinem

besten Anzug bewerbe. Auch der Betriebsratsvorsitzende eines Großbetriebes empfiehlt seinen Angestellten, bei Chefbesuchen im Kriegsschmuck ihrer Feiertagskleider aufzutreten. Außerordentlich lehrreich ist eine Auskunft, die ich in einem bekannten Berliner Warenhaus erhalte. »Wir achten bei Engagements von Verkaufs- und Büropersonal«, sagt ein maßgebender Herr der Personalabteilung, »vorwiegend auf ein angenehmes Aussehen.« Von fern erinnert er etwas an Reinhold Schünzel in älteren Filmen. Was er unter angenehm verstehe, frage ich ihn; ob pikant oder hübsch. »Nicht gerade hübsch. Entscheidend ist vielmehr die moralisch-rosa Hautfarbe, Sie wissen doch ...«
Ich weiß. Eine moralisch-rosa Hautfarbe – diese Begriffskombination macht mit einem Schlag den Alltag transparent, der von Schaufensterdekorationen, Angestellten und illustrierten Zeitungen ausgefüllt ist. Seine Moral soll rosa gefärbt sein, sein Rosa moralisch untermalt. So wünschen es die, denen die Auslese obliegt. Sie möchten das Leben mit einem Firnis überziehen, der seine keineswegs rosige Wirklichkeit verhüllt. Wehe, wenn die Moral unter die Haut dränge und das Rosa nicht gerade noch moralisch genug wäre, um den Ausbruch der Begierden zu verhindern. Die Düsterkeit der ungeschminkten Moral brächte dem Bestehenden ebenso Gefahr wie ein Rosa, das unmoralisch zu flammen begänne. Damit beide sich aufheben, werden sie aneinander gebunden. Das gleiche System, das der Eignungsprüfung bedarf, produziert auch dieses nette und freundliche Gemenge, und je mehr die Rationalisierung fortschreitet, desto mehr nimmt die moralisch-rosa Aufmachung überhand. Die Behauptung ist kaum zu gewagt, daß sich in Berlin ein Angestelltentypus herausbildet, der sich in der Richtung auf die erstrebte Hautfarbe hin uniformiert. Sprache, Kleider, Gebärden und Physiognomien gleichen sich an, und das Ergebnis des Prozesses ist ebenjenes angenehme Aussehen, das mit Hilfe von Photographien umfassend wiedergegeben werden kann. Eine Zuchtwahl, die sich unter dem Druck der sozialen Verhältnisse vollzieht und zwangsläufig durch die Weckung entsprechender Konsu-

mentenbedürfnisse von der Wirtschaft unterstützt wird.
Die Angestellten müssen mittun, ob sie wollen oder nicht.
Der Andrang zu den vielen Schönheitssalons entspringt
auch Existenzsorgen, der Gebrauch kosmetischer Erzeugnisse ist nicht immer ein Luxus. Aus Angst, als Altware aus
dem Gebrauch zurückgezogen zu werden, färben sich Damen *und* Herren die Haare, und Vierziger treiben Sport, um
sich schlank zu erhalten. »Wie werde ich schön?« lautet der
Titel eines jüngst auf den Markt geworfenen Heftes, dem die
Zeitungsreklame nachsagt, daß es Mittel zeige, »durch die
man für den Augenblick und für die Dauer jung und schön
aussieht«. Mode und Wirtschaft arbeiten sich in die Hand.
Freilich, die meisten sind nicht in der Lage, einen Spezialarzt
aufzusuchen. Sie werden die Beute von Kurpfuschern oder
begnügen sich notgedrungen mit Präparaten, die so billig wie
fragwürdig sind. In ihrem Interesse kämpft seit einiger Zeit
der genannte Abgeordnete Dr. Moses im Parlament für die
Eingliederung der Entstellungsfürsorge in die Sozialversicherung. Die junge »Arbeitsgemeinschaft kosmetisch tätiger Ärzte Deutschlands« hat sich dieser berechtigten Forderung angeschlossen.

Siegfried Kracauer
Asyl für Obdachlose

Der Durchschnittsarbeiter, auf den so mancher kleine Angestellte gern herabsieht, ist diesem oft nicht nur materiell,
sondern auch existentiell überlegen. Sein Leben als klassenbewußter Proletarier wird von vulgärmarxistischen Begriffen überdacht, die ihm immerhin sagen, was mit ihm gemeint
ist. Das Dach ist allerdings heute reichlich durchlöchert.
Die Masse der Angestellten unterscheidet sich vom Arbeiter-Proletariat darin, daß sie geistig obdachlos ist. Zu den
Genossen kann sie vorläufig nicht hinfinden, und das Haus
der bürgerlichen Begriffe und Gefühle, das sie bewohnt hat,
ist eingestürzt, weil ihm durch die wirtschaftliche Entwick-

lung die Fundamente entzogen worden sind. Sie lebt gegenwärtig ohne eine Lehre, zu der sie aufblicken, ohne ein Ziel, das sie erfragen könnte. Also lebt sie in Furcht davor, aufzublicken und sich bis zum Ende durchzufragen.

Nichts kennzeichnet so sehr dieses Leben, das nur in eingeschränktem Sinne Leben heißen darf, als die Art und Weise, in der ihm das Höhere erscheint. Es ist ihm nicht Gehalt, sondern Glanz. Es ergibt sich ihm nicht durch Sammlung, sondern in der Zerstreuung. »Warum die Leute so viel in Lokale gehen?«, meint ein mir bekannter Angestellter, »doch wohl deshalb, weil es zu Hause elend ist und sie am Glanz teilhaben wollen.« Unter dem Zuhause ist übrigens außer der Wohnung auch der Alltag zu verstehen, den die Inserate der Angestellten-Zeitschriften umreißen. Sie betreffen in ihrer Mehrzahl: Federn; Kohinoor-Bleistifte; Hämorrhoiden; Haarausfall; Betten; Kreppsohlen; weiße Zähne; Verjüngungsmittel; Verkauf von Kaffee in Bekanntenkreisen; Sprechmaschinen; Schreibkrampf; Zittern, besonders in Gegenwart anderer; Qualitätspianos gegen wöchentliche Abzahlung usw. Eine zu Reflexion neigende Stenotypistin äußert sich ähnlich zu mir wie jener Angestellte: »Die Mädels kommen meist aus geringem Milieu und werden vom Glanz angelockt.« Sie begründet dann höchst merkwürdig die Tatsache, daß die Mädels im allgemeinen ernste Unterhaltungen meiden. »Ernste Unterhaltungen«, sagte sie, »zerstreuen nur und lenken von der Umwelt ab, die man genießen möchte.« Wenn einem ernsten Gespräch zerstreuende Wirkungen beigemessen werden, ist es mit der Zerstreuung unerbittlicher Ernst.

(aus: Siegfried Kracauer, Die Angestellten. Schriften I, Frankfurt 1971)

Ernst Bloch
Künstliche Mitte

Die Angestellten haben sich in der gleichen Zeit verfünffacht, in der sich die Arbeiter nur verdoppelt haben. Auch
ist ihre Lage seit dem Krieg eine durchaus andere geworden;
doch ihr Bewußtsein hat sich nicht verfünffacht, das Bewußtsein ihrer Lage gar ist völlig veraltet. Trotz elender
Entlohnung, laufendem Band, äußerster Unsicherheit der
Existenz, Angst des Alters, Versperrung der »höheren«
Schichten, kurz, Proletarisierung de facto fühlen sie sich
noch als bürgerliche Mitte. Ihre öde Arbeit macht sie mehr
stumpf als rebellisch, Berechtigungsnachweise nähren ein
Standesbewußtsein, das keinerlei reales Klassenbewußtsein
hinter sich hat; nur mehr die Äußerlichkeiten, kaum mehr
die Gehalte eines verschollenen Bürgertums spuken nach.
Zum Unterschied vom Arbeiter sind sie der Produktion viel
ferner eingegliedert; daher werden wirtschaftliche Verän-
derungen erst später wahrgenommen oder leicht falsch verstanden. Erst ein Drittel der Angestellten hat sich gewerk-
schaftlich organisiert, und von diesen ist ein Drittel
sozialdemokratisch (nur Vorgeschrittenste sind kommuni-
stisch). Das zweite Drittel ist demokratisch, das letzte seit
alters nationalistisch, hat ständische Ideologie (bei diesem
Stand), ist eine Art Stammgruppe der heutigen sogenannten
Nationalsozialisten. Dies falsche Bewußtsein (noch in der
Revolte falsch) reicht zwar auch unter Bauern, und Studen-
ten geben ihm den Wichs hinzu; doch Angestellte sind ihm
vor allem verfallen. Unsagbares Pack aus dem älteren Spie-
ßertum mischt seine Instinkte ein, gar keine völkischen, sondern hämische, fossile, erst recht gegenstandslose, die von
Antikapitalismus nur soviel haben, daß sie den Juden als
»Wucherer« totschlagen. Aber die Ablenkung ist hier das
Größere daran, die duldende Ablenkung aus dem wirkli-
chen Leben. Sie staut das Leben auf nichts als Jugend
zurück, auf übersteigerte Anfänge, damit die Frage nach
dem Wohin gar nicht aufkomme. Sie fördert den Sport und

den Abendglanz der Straße, den exotischen Film oder den sonstwie glitzernden, ja, noch die »neusachliche« Fassade aus Nickel und Glas. Nichts ist dahinter als schmutzige Wäsche: doch gerade diese soll durch die gläserne Offenheit verdeckt werden (gleichwie das viele Licht nur der Vermehrung der Dunkelheit dient). Cafés, Filme, Lunaparks weisen dem Angestellten die Richtung, die er zu gehen hat: – Zeichen, viel zu überbeleuchtet, als daß sie nicht verdächtig wären, der wahren Richtung auszuweichen, nämlich der zum Proletariat. Mit dem der Angestellte jetzt alles teilt: Not, Sorge und Unsicherheit, nur nicht das klare Bewußtsein dieses seines Zustands. Gewiß hat die Ablenkung, gerade als bunte Jahrmarktstraße, noch ihre andere Seite, eine, die dem geschlossenen Muff nicht wohltut. Gewiß wirft auch diese Seite Staub auf und diesmal schon unterbrechenden, funkelnden, gleichsam *Staub hoch zwei*. Doch das hindert nicht, daß, unmittelbar, an der ganzen Ausweichung nur Betrug ist, der den Ort und den Grund verdecken soll, worauf er geschieht. Die Angestelltenkultur, sagt Kracauer mit starkem Satz, ist die Flucht vor der Revolution und dem Tod. Und die Herren, die oberen Herren Aufsichtsführenden (wie ein Angestellter sie vorm Klagegericht nannte), unterliegen dem Schein selber, den sie vormachen. Sie entlehnen ihn den Angestellten, sie bringen den Badeglanz in Film und die immer amüsantere Presse, unfähig anderen Gehalt hier zu haben und zu setzen. Überall der gleiche Spaß (wenn auch oben viel satter genossen), das Leben als »Betrieb«: als Öde bei Tag, als Flucht bei Nacht. Die neue Mitte spart nicht, denkt nicht an Morgen, zerstreut sich und bald alles.

(aus: Ernst Bloch, Erbschaft dieser Zeit, Frankfurt 1962)

Bertolt Brecht
Das Lied vom SA-Mann

Als mir der Magen knurrte, schlief ich
Vor Hunger ein.
Da hört ich sie ins Ohr mir
Deutschland erwache! schrein.

Da sah ich viele marschieren
Sie sagten: ins Dritte Reich.
Ich hatte nichts zu verlieren
Und lief mit, wohin war mir gleich.

Als ich marschierte, marschierte
Neben mir ein dicker Bauch
Und als ich »Brot und Arbeit« schrie
Da schrie der Dicke das auch.

Der Staf hatte hohe Stiefel
Ich lief mit nassen Füßen mit
Und wir marschierten beide
In gleichem Schritt und Tritt.

Ich wollte nach links marschieren
Nach rechts marschierte er
Da ließ ich mich kommandieren
Und lief blind hinterher.

Und die da Hunger hatten
Marschierten matt und bleich
Zusammen mit den Satten
In irgendein drittes Reich.

Sie gaben mir einen Revolver
Und sagten: Schieß auf unsern Feind!
Und als ich auf ihren Feind schoß
Da war mein Bruder gemeint.

Jetzt weiß ich: drüben steht mein Bruder.
Der Hunger ist's, der uns eint
Und ich marschiere, marschiere
Mit seinem und meinem Feind.

So stirbt mir jetzt mein Bruder
Ich schlacht' ihn selber hin
Und weiß doch, daß, wenn er besiegt ist
Ich selber verloren bin.

(aus: Bertolt Brecht, Gesammelte Werke, Band 9. Frankfurt 1967)

Zeittafel

1918

3. November
Aufstand der Kieler Matrosen greift auf andere Städte über.
Bildung von Arbeiter- und Soldatenräten

9. November
Generalstreik in Berlin
Abdankung Kaiser Wilhelms II.
Ausrufung der Republik

10. November
Bildung der Regierung des Rates der Volksbeauftragten aus
SPD und USPD (Ebert, Scheidemann, Landsberg; Haase,
Dittmann, Barth)

11. November
Waffenstillstand

12. November
Einführung des Achtstundentages

13. November
Verordnung über Erwerbslosenfürsorge

6. Dezember
Erfolgloser Rechtsputsch gegen den Vollzugsrat der Arbei-
ter- und Soldatenräte. Bei Zusammenstößen zwischen Re-
gierungstruppen und Spartakistendemonstranten werden 16
Demonstranten erschossen.

12.–20. Dezember
Kongreß der Arbeiter- und Soldatenräte in Berlin. Die

Straßenkämpfe in Berlin.

Barrikaden vor dem Zeitungsverlag
Rudolf Mosse.

Straßenkämpfe in Berlin, Barrikaden vor dem Zeitungsverlag Rudolf Mosse, von Spartakusanhängern besetzt

Propagandafahrzeug der SPD in den Straßen Berlins zur Wahl zur Nationalversammlung im Januar 1919

Mehrheit bestätigt den Rat der Volksbeauftragten und spricht sich für die Wahl zur Nationalversammlung am 19. Januar aus.

23. Dezember
Friedrich Ebert, dessen Regierung von der meuternden Volksmarinedivision unter Hausarrest gestellt wird, ruft über eine Geheimleitung zur Obersten Heeresleitung Truppenhilfe herbei. Die Matrosenmeuterei wird niedergeschlagen.

29. Dezember
Die USPD verläßt den Rat der Volksbeauftragten.

30. Dezember
Gründungsparteitag der KPD (Spartakusbund) lehnt Beteiligung an der Wahl zur Nationalversammlung ab.

1919

4. Januar
Entlassung des Berliner Polizeipräsidenten Eichhorn USPD

5./6. Januar
Demonstrationen von USPD und KPD für Eichhorn. Eine Minderheit beschließt den Aufstand. Revolutionsausschuß: Rosa Luxemburg, Karl Liebknecht, Ledebour, Scholze

6./12. Januar
Der Volksbeauftragte Noske (SPD) stützt sich bei der Niederschlagung des Aufstands vor allem auf republikfeindliche Truppenteile und Freikorps. Bei den nachfolgenden Strafexpeditionen nach Bremen, Hamburg, Leipzig, Halle, dem mitteldeutschen Bergwerksbezirk, Braunschweig, Thüringen und dem Ruhrgebiet werden die Räte entmachtet und die Arbeiter entwaffnet.

15. Januar

Ermordung von Rosa Luxemburg und Karl Liebknecht durch Freikorpsoffiziere, die anschließend freigesprochen werden oder fliehen können.

19. Januar

Wahlen zur Nationalversammlung:

SPD	37,9 %
Zentrum	19,7 %
DDP	18,6 %
DNVP	10,3 %
USPD	7,6 %
DVP	4,4 %

11. Februar

Friedrich Ebert Präsident der Republik

12. Februar

Regierung Scheidemann aus SPD, Zentrum und Deutsche Demokraten = Weimarer Koalition. Die Weimarer Koalition setzt sich aus den Sozialdemokraten und der bürgerlichen Mitte zusammen, die bereits seit 1917 die Reichstagsmehrheit bildeten: SPD, Zentrum (bürgerlich-katholisch) und Deutsche Demokratische Partei (bürgerlich-liberal; ab 1930 Deutsche Staatspartei). Die Rechte mit antirepublikanischen Tendenzen wird gebildet aus: Deutsche Volkspartei DVP (Großindustrie) und Deutschnationale Volkspartei DNVP (Agrarier). Die Linke besteht zunächst aus der Unabhängigen Sozialdemokratischen Partei (USPD), deren Mehrheit sich später mit der Kommunistischen Partei Deutschlands (KPD) zusammenschließt. Die Nationalsozialistische Deutsche Arbeiterpartei unterscheidet sich von DNVP und DVP durch ihr von Anfang an offen republikfeindliches Programm.

21. Februar

Ermordung des Bayerischen Ministerpräsidenten Kurt Eisner, USPD

Aufmarsch der KPD in München während der Räterepublik 1919

7. April–1. Mai
Münchner Räterepublik

1./2. Mai
Freikorps erobern München. Weißer Terror. Die Regierung
Hoffmann (SPD) kehrt ins Amt zurück.

28. Juni
Unterzeichnung des Friedensvertrages von Versailles

11. August
Annahme der Reichsverfassung durch die Nationalversammlung

1920

13. Januar
USPD und KPD demonstrieren gegen das neue Betriebsrä-
tegesetz für eine Erweiterung der Rechte der Betriebsräte
(42 Tote).

24. Februar
Hitler verkündet in München das Programm der National-
sozialistischen Deutschen Arbeiter-Partei.

13./18. März
Scheitern des Kapp-Putsches durch Generalstreik

15. März–20. Mai
Arbeiteraufstand im Ruhrgebiet als Fortsetzung des Kamp-
fes gegen die Kapp-Putschisten wird von Freikorps im Auf-
trag der Regierung niedergeschlagen.

6. Juni
Reichstagswahlen:

SPD	21,6 %
USPD	17,9 %

Demonstration der Kommunisten gegen das Betriebsräte-Gesetz, das am 13. Januar 1920 im Reichstag beraten und verabschiedet wurde

DNVP	13,9 %
DVP	13,9 %
Zentrum	13,6 %
DDP	8,3 %

Infolge der Stimmenverluste ist die SPD an der neuen Regierung aus Zentrum, Deutsche Demokraten und Deutsche Volkspartei nicht mehr beteiligt.

16. Oktober
Die Mehrheit der USPD beschließt den Anschluß an die KPD.

1921

8. März
Alliierte besetzen Düsseldorf, Duisburg und Ruhrort als Sanktion wegen des Scheiterns der Reparationsverhandlungen.

März
Niederschlagung des mitteldeutschen Arbeiteraufstands (Max Hölz)

10. Mai
Die Regierung Wirth/Rathenau aus Zentrum, SPD und Deutsche Demokraten nimmt die Reparationsforderungen der Alliierten an: »Erfüllungspolitik«.

Die Formen der politischen Morde 1919–1922

»Tödlich verunglückt«	184	Als Repressalie	
Willkürlich erschossen	73	erschossen	10
»Auf der Flucht		Willkürlich erschossen	8
erschossen«	45	Angebliches Standrecht	3
Angebliches Standrecht	37	Angebliche Notwehr	1
Angebliche Notwehr	9		
Im Gefängnis oder beim Transport »gelyncht«	5		
Angeblicher Selbstmord	1		
Summe der von Rechtsstehenden Ermordeten:	354	Summe der von Linksstehenden Ermordeten:	22

Quelle: Emil J. Gumbel, *Vom Fememord zur Reichskanzlei,* Heidelberg 1962, S. 45.

Die Sühne der politischen Morde 1919–1922

Politische Morde, begangen von	Rechts- stehenden	Links- stehenden
Ungesühnte Morde	326	4
Teilweise gesühnte Morde	27	1
Gesühnte Morde	1	17
Gesamtzahl der Morde:	354	22
Zahl der Verurteilungen	24	38
Geständige Täter freigesprochen	23	—
Geständige Täter befördert	3	—
Dauer der Einsperrung pro Mord	4 Monate	15 Jahre
Zahl der Hinrichtungen	—	10
Geldstrafe pro Mord	2 Papiermark	—

Quelle: Emil J. Gumbel, *Vom Fememord zur Reichskanzlei,* Heidelberg 1962, S. 46.

26. August
Ermordung des Zentrumspolitikers Erzberger, der die Waffenstillstandsverhandlungen geführt hatte.

1922

16. April
Im Vertrag von Rapallo verzichtet die sowjetische Regierung auf Reparationsansprüche.

24. Juni
Ermordung des Außenministers Rathenau

1923

11. Januar
Französische Truppen besetzen das Ruhrgebiet als Sanktion wegen unterlassener Kohlelieferungen. Die Regierung ruft zum passiven Widerstand auf.

April–Oktober
Höhepunkt der Inflation

11. August
Berliner Generalstreik zwingt die Regierung Cuno zum Rücktritt.

13. August
Regierung der Großen Koalition unter Stresemann aus Deutsche Volkspartei, Deutsche Demokraten, Zentrum und SPD

13. Oktober
Durch das Ermächtigungsgesetz für Wirtschaft, Finanzen und Sozialpolitik geht der Achtstundentag verloren.

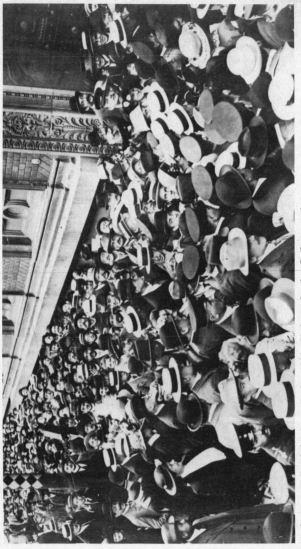

Andrang zur Reichsbank in Berlin 1923. Höhepunkt der Inflationszeit

Vor einer Armenküche der Stadt Berlin, die im Hof einer alten Mietskaserne errichtet war. 1922

Männer, Frauen und Kinder suchen auf den Schutthalden nach Heizmaterial. 1922

Geldtransport in Waschkörben zu den Schaltern einer Berliner Bank während der Inflation in Deutschland. 1923

Münchner Putsch 9. 11. 1923. Verhaftung des Münchner Oberbürgermeisters und seiner Stadträte durch Freikorps-Einheiten und SA, die auch die öffentlichen Gebäude besetzten

22./24. Oktober
Hamburger Aufstand wird niedergeschlagen.

29. Oktober
Die Reichsregierung setzt die legal gewählten Volksfrontre-
gierungen in Sachsen und Thüringen ab.

2. November
Die SPD scheidet aus der Regierung aus.

8./9. November
Gescheiterter Hitler-Putsch in München

16. November
Durch die Ausgabe der Rentenmark (Deckung durch Grund
und Boden) soll die Währung stabilisiert werden.

8. Dezember
Erneuerung des Ermächtigungsgesetzes mit den Stimmen
der SPD

1924

4. Mai
Reichstagswahlen:

SPD	20,5 %	
DNVP	19,5 %	
Zentrum	13,4 %	
KPD	12,6 %	
DVP	9,2 %	
NSDAP	6,6 %	
DDP	5,7 %	

29. August
Die Annahme des Dawesplans durch den Reichstag bringt
Deutschland eine Auslandsanleihe von 800 Millionen
Goldmark, mit der die Wirtschaft saniert und die Repara-

Notquartier in Berlin. 1924

Eingang zum Arbeitsamt Duisburg, dessen Schilder die große Zahl der Erwerbslosen veranschaulichen. 1931

tionszahlungen ermöglicht werden. Eisenbahn und Reichsbank stehen unter der Kontrolle ausländischer Gläubiger.

11. Oktober
Einführung der Reichsmark bewirkt eine relative Stabilisierung der Währung.

7. Dezember
Reichstagswahlen:

SPD	26,0	%
DNVP	20,5	%
Zentrum	13,6	%
DVP	10,1	%
KPD	9,0	%
DDP	6,3	%
NSDAP	3,0	%

1925

15. Januar–12. Juni 1928
Bürgerliche Koalitionsregierungen mit wechselnder Beteiligung der Deutschnationalen

26. April
Hindenburg zum Reichspräsidenten gewählt

14. Juli–1. August
Räumung des Ruhrgebietes durch die Franzosen

1. Dezember
Die Verträge von Locarno garantieren die deutschen Westgrenzen

1926

20. Juni
Volksentscheid über entschädigungslose Enteignung der

Fürsten erreicht nicht die erforderliche Mehrheit von 20
Millionen Stimmen für die Enteignung.

10. September
Aufnahme Deutschlands in den Völkerbund

1928

Januar
1,826 Mill. Arbeitslose

20. Mai
Reichstagswahlen:

SPD	29,8 %
DNVP	14,2 %
Zentrum	12,1 %
KPD	10,6 %
DVP	8,7 %
DDP	4,9 %
NSDAP	2,6 %

28. Juni
Zweite Große Koalition unter Müller (**SPD**) mit **SPD**,
Zentrum, DVP, DDP und Bayerische VP

1929

Januar
2,850 Mill. Arbeitslose

1. Mai
Auflösung der verbotenen Maidemonstration fordert 25
Todesopfer.

22. August
Annahme des Youngplans durch die Regierungen, der die Reparationsforderungen der Alliierten auf eine realistischere Basis stellt.

25. Oktober
»Schwarzer Freitag«, Beginn der Weltwirtschaftskrise

22. Dezember
Volksentscheid über die Ablehnung des Youngplans, von Deutschnationalen und Nationalsozialisten gefordert, findet nicht die erforderliche Mehrheit.

1930

Januar
3,218 Mill. Arbeitslose

11. März
Annahme des Youngplans durch den Reichstag

29. März
Sturz der Großen Koalition über der Frage der Arbeitslosenversicherung
Beginn der Rechtskoalition (Zentrum, DNVP, DVP) unter Brüning

16. Juli
Notverordnung über ein wirtschaftliches Sparprogramm

14. September
Reichtagswahlen, nachdem der Reichstag wegen Nichtbilligung der Notverordnung aufgelöst worden war:

SPD	24,5 %
NSDAP	18,3 %
KPD	13,1 %
Zentrum	11,8 %

Schlangen vor dem Berliner Schlachthof nach Freibankfleisch während der Wirtschaftskrise

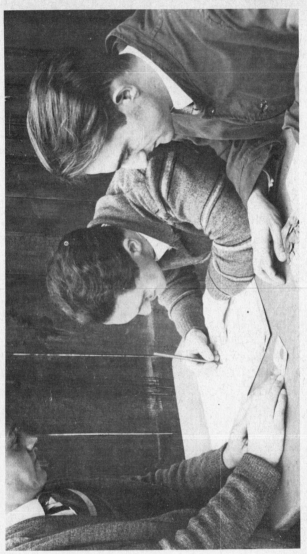

Erwerbslose, nicht Beamte, kontrollieren ehrenamtlich ihre Schicksalsgenossen. Für einen Groschen erwirbt man das Recht auf ein Mittagessen

Während der am 11. 10. 1931 durchgeführten Harzburger Tagung entstand das gegen die Republik gerichtete Zweck-
bündnis der »Harzburger Front«

DNVP	7,0 %
DVP	4,5 %
DDP	3,8 % (Deutsche Staatspartei)

18. Oktober
Der Reichstag legalisiert das Regieren durch Notverordnungen

1931

Januar
4,887 Mill. Arbeitslose

13. Juli
Internationaler Bankkrach

11. Oktober
»Harzburger Front« aus Nationalsozialisten, Deutschnationalen und »Stahlhelm«

16. Dezember
»Eiserne Front« aus Reichsbanner, Gewerkschaften und Arbeitersportvereinen

Dezember
5,66 Mill. Arbeitslose

1932

Januar
6,042 Mill. Arbeitslose

Februar
6,128429 Mill. Arbeitslose (höchster Stand)

10. April
Wiederwahl Hindenburgs zum Reichspräsidenten

Berlin. Sportpalast 1932. v. l. n. r.: Graf Helldorf, Hitler, Stadtrat Engel, Goebbels, Brückner

13. April
Verbot von SA und SS

1. Juni
Hindenburg ernennt von Papen zum Reichskanzler

20. Juni
Von Papen setzt die preußische Regierung Braun (SPD) ab, da NSDAP und KPD im Landtag die absolute Mehrheit haben.

29. Juni
Von Papen hebt das Verbot von SA und SS wieder auf. Welle politischen Terrors

Juli
5,392 Mill. Arbeitslose

31. Juli
Reichstagswahlen:

NSDAP	37,3 %	
SPD	21,6 %	
KPD	14,3 %	
Zentrum	12,4 %	
DNVP	5,9 %	
DVP	1,2 %	
DDP	1,0 %	(Deutsche Staatspartei)

6. November
Reichstagswahlen:

NSDAP	33,1 %	
SPD	20,4 %	
KPD	16,9 %	
Zentrum	11,9 %	
DNVP	8,8 %	
DVP	1,9 %	
DDP	1,0 %	(Deutsche Staatspartei)

2. Dezember
Hindenburg ernennt Géneral von Schleicher zum Reichs-
kanzler, der vergeblich versucht, die NSDAP zu spalten
(Gregor Strasser)

1933

Januar
6,014 Mill. Arbeitslose

15. Januar
Nationalsozialistischer Wahlerfolg in Lippe

30. Januar
Hindenburg ernennt Hitler zum Reichskanzler

27. Februar
Reichstagsbrand

28. Februar
Durch zwei Notverordnungen werden die Grundrechte auf-
gehoben. NS-Terror

5. März
Reichstagswahlen:

NSDAP	43,7 %	
SPD	18,2 %	
KPD	12,2 %	
Zentrum	11,0 %	
DNVP	8,0 %	
DVP	1,1 %	
DDP	0,9 %	(Deutsche Staatspar- tei)

23. März
Der Reichstag verabschiedet gegen die Stimmen der SPD
bei Ausschluß der KPD das Ermächtigungsgesetz

Entwicklung der Arbeitslosigkeit in Millionen

1928	1,862	1,012	
1929	2,850	1,251	
1930	3,218	2,765	
1931	4,887	3,990	
1932	6,042	5,392	(höchster Stand: Februar 6 128 429)
1933	6,014	4,464	
	Januar	Juli	

Quelle: *Handbuch der deutschen Geschichte* von Bruno Gebhardt, IV, 352.

st 48   Unterbrochene Schulstunde
Eine Anthologie mit Texten von
Bertolt Brecht, Alfred Döblin, Hermann Hesse, Ödön von
Horváth, James Joyce, Erich Kästner, Thomas Mann,
Robert Musil, Bernard Shaw, Kurt Tucholsky, Robert
Walser, Franz Werfel, Paul Nizan, Stefan Zweig
Zusammengestellt von Volker Michels
ca. 250 Seiten
14 Autoren des zwanzigsten Jahrhunderts reproduzieren
das Erlebnis der Schulzeit. Das Resultat ist eine enga-
gierte, kritische Auseinandersetzung mit dem, was Schule
ist: erste Konfrontation mit Autorität und Gesellschaft.

st 49   Ernst Bloch,
Naturrecht und menschliche Würde
ca. 480 Seiten
»Naturrecht und menschliche Würde« erörtert die abend-
ländische Naturrechtsdiskussion von Epikur und der Stoa
über Thomas von Aquin, Althus, Hobbes, Grotius, Rous-
seau, Kant, Fichte, die Französische Revolution und Marx
bis zum Bürgerlichen Gesetzbuch und faschistischen
Theorien.

st 50   Hans Erich Nossack,
Spirale
Roman einer schlaflosen Nacht
ca. 320 Seiten
»Ein Mann erzählt, was ihn schlaflos machte. Er müht
sich, sein Leben zurück und zu Ende zu denken. Traum
und Bewußtsein, Romantik und Psychoanalyse, Parodie
und Märchen bestehen hier nebeneinander.« *Willi Fehse*

st 51 Tschingis Aitmatow
Der weiße Dampfer. Roman
Aus dem Russischen von Hans-Joachim Lambrecht
176 Seiten
In der Zeit einer neuen aufgeklärten Gesellschaft hat sich
irgendwo in kirgisischer Bergeinsamkeit der Märchenglaube

erhalten. Mit poetischer Eindringlichkeit erzählt Aitmatow die Geschichte des Jungen, der zwei Märchen besaß und von denen kein einziges blieb. Aitmatow – 1928 in Kirgisien geboren – ist als ein Meister des Erzählens bekanntgeworden. Aragon nennt »Dshamilja«: Die schönste Liebesgeschichte der Welt. (Bibliothek Suhrkamp)

st 52 Hermann Hesse
Unterm Rad
Erzählung
Kein anderes Buch Hermann Hesses hat unmittelbar nach Erscheinen (1906) eine vergleichbare Welle der Entrüstung ausgelöst. Neben Musils »Die Verwirrungen des Zöglings Törleß« war »Unterm Rad« die nachhaltigste Anklage gegen das Erziehungsritual jener Jahre. Auch heute noch gilt die Empfehlung von Theodor Heuss: »Ein Tendenzwerk? Ja, dort, wo es mit warmen Worten das Recht der Jugend auf eine Jugend verlangt!«

st 53 Materialien zu Hermann Hesses Steppenwolf
Herausgegeben von Volker Michels
Eine Dokumentation der Entstehungs- und Wirkungsgeschichte des Werkes, das Hermann Hesse zum meistgelesenen europäischen Autor in den USA und Japan gemacht hat. Der Band enthält eine Fülle von unveröffentlichtem Material, das erstmals die zeit- und gesellschaftskritischen Motivationen Hermann Hesses in das Bewußtsein rückt.

st 54 Claude Hudelot
Der Lange Marsch
Aus dem Französischen von Gundl Steinmetz
ca. 400 Seiten
Durch den legendären *Langen Marsch* (1934 bis 1935) wurde die chinesische Rote Armee vor der Niederlage gerettet und konnte im Norden eine neue Basis aufbauen, von der aus sie den Kampf gegen die japanischen Okkupanten und damit ihren endgültigen Siegeszug antrat. Der Sinologe und Chinahistoriker Claude Hudelot

hat aus allen ihm zugänglichen Texten eine fesselnde Reportage des Langen Marsches rekonstruiert, die zugleich Realität und Mythos dieses Geburtsereignisses der Chinesischen Revolution deutlich macht.

st 55 Lucien Malson
Die wilden Kinder
Aus dem Französischen von Eva Moldenhauer
286 Seiten
Lucien Malson stellt alle bisher bekanntgewordenen Fälle von Kindern dar, die außerhalb jeder menschlichen Gesellschaft quasi wie Tiere aufgewachsen sind. Der Band enthält außerdem die Beschreibung der Sozialisierungsversuche des »Wolfsjungen von Aveyron«, die sein Erzieher Jean Itard Anfang des 19. Jahrhunderts veröffentlicht hatte. Diese Beschreibung diente dem französischen Regisseur François Truffaut als Vorlage für seinen erfolgreichen Film »Der Wolfsjunge«.

st 56 Peter Handke
Ich bin ein Bewohner des Elfenbeinturms. Aufsätze
240 Seiten
Die gesammelten Aufsätze, die allgemein theoretischen und die Filmkritiken, die Buchbesprechungen und die sich auf die Tagespolitik beziehenden, enthalten programmatische Äußerungen über die gegenwärtige kulturelle und gesellschaftliche Situation. Und sie sind Ausdruck eines weitgespannten Temperaments.

st 57 Marie Luise Kaschnitz
Steht noch dahin
96 Seiten
Prosaskizzen, gewichtiger als manches umfangreiche Buch. Marie Luise Kaschnitz hat darin Einsichten ihrer Weltschau gesammelt. Sie reflektiert die menschliche Vergeßlichkeit, die Unfähigkeit, aus Erfahrungen zu lernen. Zugleich aber klingt die Hoffnung an, der Mensch könne zu der Einsicht gelangen, daß er veränderbar sei.
Hermann Kesten: »Man findet eine poetischen Reichtum auf engstem Raum, eine Fülle von lakonischen Einfällen. Es ist eine Weltkritik in Blitzlichtern.«

st 58 Hans Mayer
Georg Büchner und seine Zeit
480 Seiten
Dieses Buch ist eine der lebendigsten Darstellungen des
großen Dichters und Revolutionärs Georg Büchner und
der Nachwirkungen seines Werkes. Die kenntnisreiche
Schilderung der Zeit, in der Büchner wirkte, macht es
zugleich zu einer Studie über Geschichte und Geistes-
geschichte der Periode der Metternichschen Restauration.

st 59 Pietro Hammel
Unsere Zukunft: die Stadt
240 Seiten, mit vielen Abbildungen
Der vorliegende Band des in Rotterdam lebenden Schwei-
zer Architekten und Städteplaners ist eine präzise Analyse
des Phänomens Stadt und ihrer derzeitigen Probleme
und der Versuch, ein neues Bewußtsein für die noch aus-
stehende Therapie unserer großen Städte zu schaffen.

st 60
Wie, warum und zu welchem Ende wurde ich
Literaturhistoriker?
ca. 240 Seiten
Der Band erscheint zum 70. Geburtstag Robert Minders.
Seine Themenstellung geht auf eine Anregung Minders
zurück. Die Beiträger bereiten dem großen Kollegen
keine der üblichen Festschriften, sondern stellen sich am
Beispiel des eigenen Werdegangs zugleich auch den aktuel-
len Problemen ihrer Disziplin. – Namhafte Gelehrte
nehmen an diesem Unterfangen teil, und so kann der
Band auch angesehen werden als Lageskizze einer Wis-
senschaft heute, ausgeführt von ihren ausgewiesenen
Vertretern.

st 61 Herbert Achternbusch
Die Alexanderschlacht
240 Seiten
Über *Die Alexanderschlacht* schrieb Reinhard Baumgart:
»Sieht neben Achternbusch der Blechtrommler Oskar nicht
aus wie ein Gottfried-Keller-Zwerg in Bleyle-Hosen?
Denn das ist sicherlich zweierlei: den Anarchismus nur
vorzuführen als ein Thema oder ihn loszulassen als eine
Methode. Genau das tut Achternbusch.«

st 62 Claude Lévi-Strauss
Rasse und Geschichte
Aus dem Französischen von Traugott König
ca. 100 Seiten
1952 veröffentlichte die UNESCO eine Schriftenreihe, in
der von wissenschaftlicher Seite in allgemeinverständ-
licher Form die Unsinnigkeit jeder Art von Rassismus
dargelegt werden sollte. Unter den Autoren befand sich
der damals nur in Fachkreisen bekannte Ethnologe
Lévi-Strauss, dessen Beitrag das Thema jedoch weit
überschritt und sich heute als leichtfaßliche Einführung
in den Problemkreis des Strukturalismus anbietet.

st 63 Wolf Lepenies
Melancholie und Gesellschaft
352 Seiten
Melancholie und Gesellschaft ist die bislang material-
und erkenntnisreichste Untersuchung der verschiedenen
Spielarten bürgerlicher Melancholie als eines historischen
soziologischen Phänomens der bürgerlichen Gesellschaft.
Ziel dieser Studie ist es, den ideologieverwandten Charak-
ter dieser Affekthaltung und ihre Abhängigkeit von ge-
sellschaftlichen Verhältnissen nachzuweisen.

st 64 F. Cl. Werner
Wortelemente lateinisch-griechischer Fachausdrücke in
den biologischen Wissenschaften
480 Seiten
Lateinisch-griechische Fachbegriffe spielen vor allem in
den biologischen Wissenschaften, einschließlich der medi-
zinischen Anatomie und Physiologie, eine nicht zu eli-
minierende Rolle. Dieses Fachwörterbuch wird für all
jene zum unerläßlichen Hilfsmittel, die sich mit den bio-
logisch orientierten Naturwissenschaften beschäftigen:
Wissenschaftler wie Naturfreunde.

st 65 Hans Bahlow
Deutsches Namenlexikon
592 Seiten
Die grundlegenden Fragen der Namenentstehung,
Namenfestigung und Namenverbreitung beantwortet das

Deutsche Namenlexikon. Insgesamt 15 000 Familiennamen mit ihren Ableitungen und viele Vornamen finden hier eine durch gesicherte Kenntnisse fundierte, ausführliche Deutung nach Ursprung und Sinn.

st 66 Eric J. Hobsbawm
Die Banditen
Aus dem Englischen von Rudolf Weys. Mit Abbildungen
224 Seiten
Die Banditen ist eine vergleichende Geschichte und Soziologie berühmter Banditenführer, die einerseits als wirkliche historische Figuren, andrerseits als Helden von Balladen, Geschichten und Mythen ganze Länder immer wieder in Schrecken versetzt haben, zugleich aber von unterdrückten Schichten oft als Wohltäter begrüßt wurden, auf jeden Fall die Menschen stets fasziniert und ihre Phantasie angeregt haben.

st 69 Walter Benjamin
Ursprung des deutschen Trauerspiels
288 Seiten
Von der Analyse der deutschen Trauerspiele des 17. Jahrhunderts ausgehend, liefert Benjamin einerseits die Geschichtsphilosophie der Barockepoche, auf der anderen Seite eine stringente Abgrenzung der klassischen Tragödie vom Trauerspiel als literarischer Form sui generis. Die Rettung der Allegorie – das Zentrum des Trauerspielbuches – eröffnete erstmals den Blick für lange verkannte Bereiche der poetischen wie der theologischen Sprache.

st 70 Max Frisch
Stücke I
368 Seiten
Bereits Max Frischs erste Stücke sind Versuche, die Frage zu beantworten, die sein ganzes Werk bestimmt und ihm seine Einheit gibt: die Frage nach der Identität. Der Band enthält die Stücke *Santa Cruz, Nun singen sie wieder, Die Chinesische Mauer, Als der Krieg zu Ende war, Graf Öderland.*

st 97/98 Knut Ewald
Innere Medizin
ist das auf dem aktuellsten Stand befindliche, derzeit
erhältliche Kompendium der Inneren Medizin. Als über-
sichtliches – den ganzen Stoff der Inneren Medizin stich-
wortartig resümierendes – Nachschlagwerk ist es das
ideale Handbuch für alle Studierenden, Ärzte und inter-
essierte Laien. Ein umfangreiches Sachwortverzeichnis
ermöglicht eine rasche Orientierung.

st 127 Hans Fallada
Tankred Dorst
Kleiner Mann – was nun?
Eine Revue von Tankred Dorst und Peter Zadek
ca. 200 Seiten
Tankred Dorst hat Hans Falladas 1932 erschienenen
Roman »Kleiner Mann – was nun?« dramatisiert, der
zu einem der größten Bucherfolge seiner Zeit wurde. In
der Geschichte des kleinen Angestellten Pinneberg und
der Arbeitertochter Lämmchen in den Jahren der großen
Arbeitslosigkeit erkannten Hunderttausende ihre eigene
Geschichte, ihren Alltag, ihre Welt. Die Dramatisierung
von Tankred Dorst wurde für die Neueröffnung der
Städtischen Bühnen Bochum unter der Leitung von Peter
Zadek vorgenommen.

st 150 Zur Aktualität Walter Benjamins
Aus Anlaß des 80. Geburtstags von Walter Benjamin
herausgegeben von Siegfried Unseld
288 Seiten
Der vorliegende Band »Zur Aktualität Walter Benjamins« nimmt wichtige, hier erstmals publizierte Ab-
handlungen auf, die aus diesem Anlaß geschrieben worden sind, und Texte von Walter Benjamin, seine »Lehre
vom Ähnlichen«, eine umfangreiche Variante der Arbeit
»Über das mimetische Vermögen«, den autobiographisch
bedeutenden Text »Agesilaus Santander«, den Briefwechsel
mit Bertolt Brecht und drei Lebensläufe, deren letzter
kurz vor seinem Tod geschrieben wurde.